ANIMUS E ANIMA

Biblioteca Junguiana
de Psicologia Feminina

Emma Jung

ANIMUS E ANIMA

Uma Introdução à Psicologia Analítica sobre os Arquétipos do Masculino e Feminino Inconscientes

Tradução

Dante Pignatari

Título do original: *Animus and Anima*.

2ª edição 2020. / 3ª reimpressão 2024.

Editor: Adilson Silva Ramachandra
Gerente editorial: Roseli de S. Ferraz
Gerente de produção editorial: Indiara Faria Kayo
Editoração eletrônica: Join Bureau
Revisão: Vivian Miwa Matsushita
Capa: Lucas Campos/Indie 6 Design Editorial

Dados Internacionais de Catalogação na Publicação (CIP)
(Câmara Brasileira do Livro, SP, Brasil)

Jung, Emma, 1882-1955
Animus e anima: uma introdução à psicologia analítica sobre os arquétipos do masculino e feminino inconscientes / Emma Jung; tradução Dante Pignatari. – 2. ed. – São Paulo: Editora Pensamento Cultrix, 2020.

Título original: Animus and anima.
Bibliografia.
ISBN 978-65-5736-023-1

1. Anima (Psicanálise) 2. Animus (Psicanálise) I. Título. II. Série.

20-38559 CDD-150.1954

Índices para catálogo sistemático:

1. Animus: Arquétipo junguiano: Psicologia analítica 150.1954
Cibele Maria Dias – Bibliotecária – CRB-8/9427

Direitos de tradução para a língua portuguessa adquiridos com exclusividade pela EDITORA PENSAMENTO-CULTRIX LTDA., que se reserva a propriedade literária desta tradução.
Rua Dr. Mário Vicente, 368 — 04270-000 — São Paulo, SP – Fone: (11) 2066-9000
http://www.editoracultrix.com.br
E-mail: atendimento@editoracultrix.com.br
Foi feito o depósito legal.

Sumário

Prefácio à Edição Brasileira

Denise G. Ramos

Olhos brilhantes, expressão sorridente, firme e decidida, assim aparece Emma Jung numa foto tirada em 1911, durante o Congresso de Psicanálise de Weimar.[1] Entre Sigmund Freud, Otto Rank, Ludwig Binswanger, Ernest Jones, Wilhelm Stekel, Lou Andreas-Salomé e o marido Carl Gustav Jung, e outros mais, Emma destaca-se como mulher culta, inteligente e bem-humorada. Anfitriã de grandes encontros entre mestres e pesquisadores de psicanálise, é tida como responsável pelo clima acolhedor e harmonioso de inúmeros seminários e debates, compensando o temperamento mais explosivo e extrovertido do marido.

Mãe de cinco filhos, ao mesmo tempo que estudava latim, grego, matemática e psicologia, tornou-se uma das diretoras do C.G. Jung Institute de Zürich, onde dava palestras e exercia seu trabalho de analista e supervisora.[2] Se a questão de conciliar trabalho e família é ainda bastante problemática para a mulher de hoje, podemos imaginar quão difícil era para uma mulher do início do século, num país conservador, numa época em que só os homens votavam.

Em suas cartas para Freud, Emma deixa claro como se sentia diminuída frente ao poder do marido e ressentia-se de um certo isolamento. Queixava-se das paixões das mulheres por Jung, do tratamento maternal que os homens lhe dispensavam, assim como do fato de ser vista somente como mulher ou aluna do mestre-pai.[3]

Nas lutas para ser conhecida por si mesma, dois temas parecem atraí-la mais: o mistério do Santo Graal e a questão do feminino no homem e do masculino na mulher. Os dois assuntos transformaram-se em livro. O primeiro resultou no volume *Die Graals legende in Psychologischer Sicht* [*A Lenda do Graal – Do Ponto de Vista Psicológico*],* obra que, devido à sua morte em 1955, foi terminada por M.-Louise von Franz; o segundo, *Animus e Anima*, só agora publicado em português, resultou da junção de dois trabalhos seus: *Ein Beitrag zum Problem des Animus* [Uma Contribuição ao Problema do Animus], palestra feita em 1931, e *Die Anima als Naturwesen* [Anima como Ser Natural], publicado originalmente em 1955.

Parece que nunca estiveram tão confusos quanto agora os padrões culturais masculinos e femininos, mas a clareza e objetividade com que a autora descreve centenas de imagens com

---

* *A Lenda do Graal – Do Ponto de Vista Psicológico*. São Paulo: Pensamento, 1989.

as quais se revestem os gêneros da espécie humana são de inestimável valor no processo de transformação pelo qual a humanidade passa hoje.

Atravessamos uma crise aguda, com um questionamento crescente sobre o que é ser homem e o que é ser mulher, sobre desempenho de papéis e função social. Tabus e limites são diariamente rompidos por alguns segmentos da sociedade, enquanto outros se aferram a padrões medievais. Nesse crescimento acelerado, torna-se imprescindível que nos reportemos às nossas raízes a fim de mantermos o eixo da consciência com a natureza.

Sem se perder na multiplicidade das formas e do conteúdo, Emma extrai a essência dos mitos, lendas e contos de fadas da Antiguidade até a era moderna. Embora pertençam predominantemente à cultura europeia, as histórias e os símbolos por ela utilizados podem com facilidade encontrar paralelo na mitologia brasileira.

A classificação do animus em quatro estágios tornou-se um modelo adotado pela psicologia analítica, por permitir compreender tanto as defasagens entre o desenvolvimento intelectual e afetivo como prever as etapas de crescimento da personalidade. Bastante atual, também, é sua ênfase em abordar a anima como um ser da natureza, atitude que vem ao encontro dos mais recentes movimentos ecológicos e naturalistas. O homem consciente de sua anima mantém um vínculo de respeito e amor para com a terra.

Finalmente, Emma demonstra que somente a conscientização de nossas projeções pode liberar o outro de nosso próprio inconsciente e sombra, permitindo uma relação plena, harmoniosa e saudável com o mundo e conosco mesmos.

São Paulo, 7 de março de 1990.

Referências bibliográficas

1. McGuire, William (org.). *The Freud/Jung Letters*. Princeton University Press, Princeton, 1974, p. 445.
2. Van der Post, Laurens. *Jung and story of our time*. Penguin Books, Londres, 1988.
3. McGuire, William (org.), *op. cit.*, p. 457.

UMA CONTRIBUIÇÃO AO PROBLEMA DO ANIMUS

Conferência realizada no Clube dos Psicólogos de Zurique, em novembro de 1931. Publicada em *Wirklichkeit der Seele* [A Realidade da Alma], de C. G. Jung. Aplicações e progresso da nova Psicologia [Ensaios Psicológicos IV]. Rascher, Zurique, 1934. Novas edições em 1939 e 1947.

Introdução

Na concepção natural primitiva a alma não é bem uma unidade, e sim um complexo múltiplo indeterminado. Esse fato expressa-se nas representações, encontradas entre todos os povos, de espíritos ou almas que habitam as pessoas, seja por terem se introduzido antes ou durante o nascimento ou por terem se apoderado do indivíduo em alguma outra ocasião posterior para nele exibir sua atividade. Às vezes eles são considerados espíritos dos antepassados ou da tribo, outras, como os assim chamados espíritos da mata, que embora pertençam a determinada pessoa, são pensados como habitando animais.[1] Em nossas crenças populares, em mitos e contos de fadas, os gigantes e anões bons e maus, fadas e magos, e com frequência também os espíritos dos mortos, e às vezes de animais, têm um significado semelhante.

Essas representações originam-se na experiência direta conhecida de cada um de que às vezes somos tomados por estados e emoções que despertam em nós impulsos, sentimentos, pensamentos e imagens que nos parecem totalmente estranhos.

Com frequência, tais emoções são diametralmente opostas aos nossos pontos de vista ou intenções, de tal forma que dão a impressão de se tratar de manifestações de um ser com existência própria, diferente de nós.

Quando Paulo diz: "O bem que eu quero, este eu não faço, mas o mal que eu não quero, este eu faço",[2] está expressando a mesma experiência, ou seja, aquela que às vezes nos faz notar em nós uma vontade estranha, que faz o contrário daquilo que nós queremos ou aprovamos. Não é necessariamente o mal o que faz essa outra vontade, pois ela pode querer o melhor, sendo sentida então como um ser superior dirigente ou inspirador, como espírito protetor ou gênio no sentido do Daimónion socrático. Com frequência também não se trata de algo bom ou mau, mas apenas de um Outro diferente, que surpreendentemente faz se valer por si mesmo, com vontade e opinião próprias, dando a impressão de que se está tomado ou possuído por espíritos estranhos.

A experiência direta que também é concedida a todos, representada pela atividade do sonho e da fantasia, é uma outra fonte dessas representações.

Depois que o racionalismo científico esqueceu o significado dessas coisas e a consciência do eu se apossou da totalidade da psique, mais uma vez volta-se a requerer da psicologia médica moderna concepções que têm um parentesco surpreendente com as concepções primitivas mencionadas acima. Na verdade, teve-se que assumir que o eu consciente é apenas um aspecto da psique; pois certas aparições, sobretudo na vida anímica anormal, praticamente não podem ser esclarecidas de outra maneira que não seja a existência de regiões da alma externas à consciência do eu, e que não apenas os sonhos, mas muitas outras aparições e sintomas devem ser atribuídos aos conteúdos e às atividades aí existentes. Essas áreas da alma externas à consciência são reunidas sob a denominação de "Inconsciente". Pesquisadores como Janet, Flournoy, Breuer, Freud e outros apresentaram provas da existência desse inconsciente psíquico.

Mesmo a constatação de que há um inconsciente não basta, pois esse conceito expressa, antes de tudo, só algo indeterminado e negativo. Por isso o próximo passo foi pesquisar de que modo esse inconsciente foi criado e o que continha.

Os trabalhos de C. G. Jung tratam de forma especialmente aprofundada da pesquisa da estrutura do inconsciente e de seus conteúdos. Enquanto a teoria freudiana vê o inconsciente apenas como um depósito para tudo aquilo que à personalidade consciente parece incômodo ou indesejável, ou ainda inútil, Jung diferencia um inconsciente pessoal de um impessoal ou coletivo. O inconsciente pessoal contém "todas as aquisições da existência pessoal..., tudo aquilo, portanto, que foi esquecido, reprimido, e percebido, pensado e sentido de maneira subliminar. Ao lado desses conteúdos inconscientes pessoais há, todavia, outros conteúdos que não se originam de conteúdos pessoais, e sim totalmente das possibilidades herdadas do funcionamento psíquico, ou seja, da estrutura cerebral herdada. Estes são os contextos mitológicos, os motivos e as imagens que podem surgir de novo a qualquer momento e em toda parte sem tradição histórica ou migração".[3]

O prosseguimento da pesquisa resultou em que é sobretudo um certo número de imagens ou figuras típicas que emergem com frequência e por toda parte, como, por exemplo, as figuras do herói, do monstro, do mago, da bruxa, do pai, da mãe, do velho sábio, da criança etc. Jung chama essas figuras de "imagens primordiais ou arquétipos",[4] pois elas representam formas que se tornaram ideias bem universais e atemporais.

Dentre esses arquétipos há sobretudo dois investidos de grande significado, pois, pertencendo por um lado à personalidade, e por outro estando enraizados no inconsciente coletivo, eles constroem uma espécie de elo ou ponte entre o pessoal e o impessoal, bem como entre o consciente e o inconsciente. Essas duas figuras – uma é masculina, e a outra, feminina – foram denominadas de *animus e anima* por Jung.[5] Ele entende aí um complexo funcional que se comporta de forma compensatória em relação à personalidade externa, de certo modo uma personalidade interna que apresenta aquelas propriedades que faltam à personalidade externa, consciente e manifesta. São características femininas no homem e masculinas na mulher que normalmente estão sempre presentes em determinada medida, mas que são incômodas para a adaptação externa ou para o ideal existente, não encontrando espaço algum no ser voltado para o exterior.

O caráter dessas duas figuras não é, entretanto, determinado apenas pela respectiva estruturação no sexo oposto, sendo condicionado ainda pelas experiências que cada um traz em si do trato com indivíduos do sexo oposto no decurso de sua vida e por meio da imagem coletiva que o homem tem da mulher e a mulher tem do homem. Esses três fatores condensam-se numa grandeza que não é apenas imagem nem somente experiência, e sim muito mais uma espécie de essência cuja ação se dirige não às demais funções anímicas, mas que se comporta ativamente e que intervém na vida individual mais ou menos como um estranho, às vezes prestativo, mas às vezes também incômodo e até mesmo destrutivo. Tem-se portanto todos os motivos para se lidar com essa grandeza e esclarecer sua maneira de atuação.

Se eu a seguir represento a figura do animus e suas formas de manifestação como se fossem realidades, devo chamar a atenção do leitor para o fato de que estamos tratando de realidades psíquicas,[6] que são incomensuráveis em relação às realidades concretas, mas nem por isso menos atuantes.

O trabalho apresentado representa a tentativa de considerar determinados aspectos do animus sem entretanto reivindicar uma abrangência total desse fenômeno bastante complexo. Trata-se não apenas pura e simplesmente de uma grandeza dada imutável, mas também de um processo espiritual. Aqui eu me limito a tratar das formas de manifestação do animus em sua relação com o indivíduo e com a consciência.

1. FORMAS DE MANIFESTAÇÃO DO ANIMUS

Eu, portanto, parto da hipótese de que o animus refere-se a um ser *masculino*, cujo rastro pode ser seguido e que deve ser representado.

Como se caracteriza então o ser masculino? Goethe faz com que Fausto, ocupado em traduzir o evangelho segundo João, se pergunte se na passagem "no princípio era o verbo" não ficaria melhor "no princípio era a força" ou "o sentido", para escrever finalmente "no princípio era o ato". Com essas quatro expressões, que deveriam traduzir o "logos" grego, parece estar representada de fato a quintessência do ser masculino. Há nelas ao mesmo tempo uma sequência de graus, e cada um desses graus tem seu representante na vida, bem como no desenvolvimento do animus. O primeiro grau corresponde à *força*, seguindo-se o *ato*, o *verbo* e, por fim, como último grau, o *sentido*. Em lugar de força, de qualquer forma, seria melhor dizer força *dirigida*, ou seja, *vontade*, pois a força pura ainda não é humana e também não é espiritual. Essa quadruplicidade pela qual o princípio do logos é descrito tem, como podemos ver, um elemento da *consciência* como condição prévia. Sem esta, nem vontade, ato, verbo ou sentido pode ser representado. Assim como há homens que se destacam pela força física e há homens de ação, de palavras e há os homens sensuais, assim também está dividida a imagem do animus, que corresponde ao respectivo grau ou aptidão da mulher. Essa imagem é, por um lado, projetada em um homem real semelhante a ela, que através dela corresponde ao papel do animus, e por outro ela aparece como figura onírica ou de fantasia, e finalmente, já que representa uma realidade anímica viva, ela pode, a partir de dentro, emprestar uma determinada coloração a todo o comportamento. Para mulheres primitivas ou jovens, ou para o primitivo que existe em cada mulher, há um representante do animus que se destaca pela força física e pela agilidade; daí os típicos heróis das lendas ou os atuais ídolos do esporte, caubóis, toureiros, pilotos etc. Para as exigentes, ele é um tipo que executa atos, no sentido de que dirige sua força para algo que vale a pena; é comum que aqui as transições sejam fluidas, pois força e ato condicionam um ao outro. Os homens do *verbo* ou até mesmo do *sentido* caracterizam então, de maneira muito precisa, a direção espiritual, pois verbo e sentido correspondem principalmente às faculdades espirituais. Aqui há, portanto, o animus no sentido mais restrito, compreendido como *líder espiritual* e como aptidão espiritual da mulher. Nesse grau, ele pode muito bem tornar-se acima de tudo problemático, e por isso teremos que nos deter nele o mais longamente possível.

Encontramos os graus da valentia e da ação projetados na *figura do herói*. Entretanto, há também mulheres nas quais essa espécie de masculinidade está registrada e atuante de maneira harmônica com o ser feminino. Estas são as mulheres ativas, enérgicas, corajosas e atuantes. Ao lado destas encontramos também aquelas em que a integração não deu certo e onde a postura masculina sufocou e reprimiu a feminina; estas são as mulheres-homens superenérgicas, inescrupulosas e brutais, as Xantipas, que são não apenas ativas mas até mesmo violentas. Em muitas mulheres, essa masculinidade primitiva encontra expressão também na vida amorosa: seu erotismo tem então um caráter agressivo masculino, não sendo condicionado ao sentimento nem ligado a ele, como é o caso normalmente com as mulheres, funcionando entretanto para si, sem estar associado à totalidade da personalidade. Isso acontece de maneira predominante com os homens.

Entretanto, pode-se muito bem supor que, em grande parte, as formas mais primitivas da masculinidade já foram assimiladas pela mulher. Falando-se de maneira geral, elas há muito encontraram sua utilização na vida feminina, pois já faz tempo que existem mulheres cuja força de vontade, objetividade, atividade e capacidade de atuação serviram como forças úteis em suas vidas, vividas por outro lado de forma completamente feminina. O problema da mulher atual me parece estar muito mais na postura em relação ao logos do animus, em relação ao espiritual-masculino no sentido estrito, que parece portanto ser uma absoluta expansão da consciência, uma maior consciência em todos os campos, um dado e uma exigência inevitáveis de nosso tempo. Expressão desse fato é que, ao lado das descobertas e invenções dos últimos cinquenta anos, surgiu também o movimento feminista, a luta pela igualdade de direitos sociais em relação ao homem. A pior excrescência desse esforço – o pedantismo – parece estar hoje superada. A mulher aprendeu a reconhecer que não pode ser igual ao homem, que ela antes de tudo é mulher e deve sê-lo. Permanece entretanto o fato de que uma determinada quantidade de espírito masculino amadureceu na consciência das mulheres e deve encontrar em suas personalidades seu lugar e sua atuação. Conhecer essas grandezas, ordená-las para que possam agir de maneira adequada é uma parte importante do problema do animus.

Ouve-se de vez em quando o ponto de vista de que não seria necessário à mulher ocupar-se com coisas espirituais ou intelectuais; isso seria apenas uma imitação estúpida do homem ou a megalomania de um instinto de concorrência traidor. Ainda que isso certamente seja verdade em muitos casos, sobretudo quanto às manifestações no início do movimento, mesmo assim não se faz justiça à causa com essa explicação. Não é a soberba ou a arrogância que nos leva, com perversidade atrevida, a querer ser igual a Deus – isto é, como o homem –, nem, como a Eva uma vez, nos fascina a beleza do fruto da árvore do conhecimento, ou nos encoraja a serpente a prová-lo, mas é como se tivéssemos recebido uma ordem: nós estamos diante da necessidade de morder essa maçã, quer ela nos pareça apetitosa ou não, diante do fato de que acabou o paraíso da submissão à natureza e à inconsciência onde muitas adorariam permanecer.

E assim estão as coisas em última instância, ainda que alguma superestrutura possa lançar outra luz. E como se trata de um ponto de transição tão significativo, não se deve ficar admirado com tentativas frustradas, exageros e caricaturas grotescas, e tampouco deixar-se desanimar por isso. Se o problema não é abordado, se a mulher não cumpre suficientemente a exigência do tornar-se consciente ou da atividade espiritual, então o animus torna-se autônomo e negativo, e age de maneira destrutiva sobre o próprio indivíduo bem como sobre suas relações com outras pessoas. Isso pode ser explicado da seguinte maneira: quando a necessidade de função espiritual não é assumida pela consciência, então a libido determinada para isso cai no inconsciente e lá ativa o arquétipo do animus. Por meio dessa libido que escapou para o inconsciente, aquela figura torna-se autônoma e tão poderosa que pode subjugar o eu consciente e, por fim, dominar toda a personalidade. Devo acrescentar aqui que discordo da concepção de que na base do indivíduo existem determinadas ideias que ele teria que realizar, como, por exemplo, o ovo ou a semente, que já contêm em si a ideia do ser que dele deve surgir. Por isso eu falo de uma quantidade de libido que está destinada às funções espirituais, pronta para fazê-lo, e que deveria ser utilizada para isso. Para expressá-lo com uma imagem tirada da economia: semelhante ao orçamento de um lar ou um empreendimento, estão previstas determinadas quantias para determinados objetivos. Além disso, de tempos em tempos são liberadas quantias de destinações anteriores, ou porque não são mais necessárias lá ou então porque não podem mais ser utilizadas. Este é hoje o caso para a mulher de muitos pontos de vista diferentes: primeiro ela, principalmente se for protestante, com frequência não encontra mais na religião da respectiva igreja, que antes podia satisfazer de modo considerável suas necessidades espirituais e intelectuais, essa satisfação. Antes o animus de uma certa maneira podia ser relegado ao Além, com sua problemática – o Deus paternal bíblico significa para muitas um aspecto metafísico e sobre-humano da imagem do animus – e enquanto a espiritualidade pode se expressar nas formas gerais da religião o conflito é evitado. Agora que isso não funciona mais, surge o nosso problema propriamente dito.

Eu vejo uma outra razão na circunstância de que, com a possibilidade de controle de natalidade, uma significativa quantidade de libido fica livre. Duvido que até mesmo a própria mulher possa avaliar de maneira correta quão grande é essa quantidade, que até então era utilizada para a constante preparação interior e estava consolidada.

A terceira razão está nos avanços da tecnologia, que tira da mulher tanta coisa que antes, utilizando seu engenho e espírito criativo, ela destinava à sua produção ou manutenção.

Onde ela antes acendia o fogo da lareira e, com isso, cumpria o ato prometeico, hoje ela liga o gás ou o comutador elétrico e não tem nem ideia do que perde com essas inovações práticas e que consequências essa perda lhe traz. Pois tudo o que não é mais feito à moda antiga será feito de um novo modo, e isso não é assim tão simples. Há muitas mulheres que, quando estão em uma situação em que se deparam com as exigências espirituais, pensam: "Eu preferiria ter mais filhos ainda!", para dessa maneira escapar a essa exigência incômoda e amedrontadora, ou pelo menos adiá-la. Mas, mais cedo ou mais tarde, é preciso adequar-se para cumprir essa exigência, pois o desgaste biológico diminui natural e progressivamente na segunda metade da vida, de forma que uma adaptação torna-se de qualquer maneira inevitável, caso não se queira adquirir uma neurose ou alguma outra enfermidade. Além disso, não é somente a libido que se tornou livre que nos impõe a nova tarefa, mas também, e tanto quanto, a já citada lei do *Kairos*, do momento temporal de que nós dependemos e que não podemos evitar ainda que suas condições sejam obscuras para nós. E nossa época parece exigir a expansão da consciência de forma geral. Temos, portanto, na psicologia a descoberta e a pesquisa do inconsciente; na física, comprovam-se aparições e fenômenos tais como, por exemplo, raios e vibrações que até então não eram perceptíveis, sendo portanto inconscientes; são encontrados novos mundos com as leis que os regem, tais como o do átomo, o telégrafo, o telefone, o rádio e outros instrumentos tecnicamente aperfeiçoados de todo tipo, que trazem para perto de nós o que está distante, ampliando dessa forma o âmbito de percepção dos nossos sentidos por todo o planeta, e além dele. Em tudo isso, expressa-se a ampliação e a iluminação da consciência. Prosseguir na busca das causas e objetivos desse fenômeno nos levaria longe demais; eu o menciono apenas como fator que participa do condicionamento do problema que é tão agudo para a mulher atual, o problema do animus.

Trata-se, portanto, de uma transferência da libido para novos rumos; nós sabemos que toda a cultura está apoiada sobre essas transferências, e a capacidade para tal é que diferencia o homem do animal. Esse fenômeno, entretanto, também está ligado às maiores dificuldades; na verdade, ele atua quase como uma culpa ou um crime, como demonstram os mitos do pecado original e do roubo do fogo por Prometeu, e como se pode experimentá-lo na própria vida. Não é isso ainda mais admirável, pois trata-se aí de uma abertura ou até mesmo de um desvio do percurso natural, um empreendimento perigoso e apaixonante! Por isso também esse processo sempre esteve estreitamente ligado às noções e ritos religiosos. Sim, o mistério religioso, com sua vivência da morte e ressurreição simbólicas, significa com bastante frequência o maravilhoso e misterioso processo da metamorfose. Como se depreende dos mitos do pecado original no paraíso e do roubo do fogo por Prometeu já mencionados, é o logos, isto é, a inteligência, portanto a consciência, que destaca o homem da natureza. Esse processo, entretanto, coloca-o numa posição trágica entre o animal e Deus. Por meio desse processo ele deixa de ser o filho da mãe natureza: ele é expulso do Paraíso, mas também não é nenhum deus, pois está irremediavelmente preso ao seu corpo e às suas leis naturais, como Prometeu acorrentado à rocha. Esse estar pendurado ou balançar de cá para lá entre o espírito e a natureza é um sofrimento há muito conhecido do homem, enquanto a mulher só começa a sentir esse conflito em épocas mais recentes. E com esse conflito, que anda de mãos dadas com uma consciência crescente, chegamos mais uma vez ao problema do animus, que no fim sempre acaba na oposição natureza e espírito e sua unificação.

Como vivenciamos esse problema? Como vivenciamos esse princípio espiritual?

A princípio ele vem ao nosso encontro de fora, vem ao encontro da criança quase sempre no pai ou em algum homem que tenha assumido o lugar do pai, e mais tarde talvez num professor, num irmão mais velho, no marido, num amigo e finalmente também nos documentos objetivos do espírito, na Igreja, no Estado e na sociedade e em suas instituições, nas criações da ciência e da arte. Em geral, o acesso a essa objetivação do espiritual não é possível à mulher de maneira direta, mas ela a encontra primeiro através de um homem, que é para ela guia e mediador. Esse guia ou mediador torna-se então também portador ou representante da imagem do animus; em outras palavras, o animus é projetado nele. Até onde essa projeção é bem-sucedida, isto é, até onde a imagem corresponde ao seu portador, não existe propriamente um conflito. Ao contrário, de uma certa maneira essa situação parece até perfeita. Sobretudo quando o homem através do qual o espiritual é transmitido é ao mesmo tempo vivenciado como pessoa, ou seja, quando se tem uma relação humana positiva com ele. Quando essa projeção se estabelece de forma duradoura, temos então aquilo que se poderia chamar de uma relação ideal; ideal porque sem conflitos, em que se permanece entretanto inconsciente. Contudo, hoje em dia, não é mais possível ser tão inconsciente, e eu acho que isso pode ser provado pelo fato de que muitas, quando não a maioria das mulheres que creem estar felizes e satisfeitas em uma dessas relações perfeitas com o animus são ao mesmo tempo atormentadas por sintomas nervosos ou físicos. São muito frequentes os estados de medo, de insônia e de nervosismo geral, ou males físicos tais como dores de cabeça, perturbações da visão e às vezes também afecções pulmonares. Conheço dois casos em que o mal pulmonar surgiu numa época em que o problema do animus havia se tornado agudo, sendo curado após este ter sido reconhecido e tratado.[7] (Talvez os órgãos respiratórios e o espírito estejam relacionados em um contexto singular tal como é expresso na palavra anima ou pneuma, equivalentes a hálito, vento ou espírito. Talvez também os órgãos respiratórios reajam com uma sensibilidade especial quanto aos processos do espírito. É provável que qualquer outro órgão possa ser atingido da mesma maneira. Trata-se na verdade de libido que não encontra nenhuma aplicação adequada e que, portanto, reprimida em si mesma, ataca algum ponto fraco.)

Entretanto, tal transferência total da imagem do animus cria, além da aparente satisfação e perfeição, também uma espécie de ligação forçada com o homem em questão e uma dependência dele que frequentemente chega a ser insuportável.

Esse estado de fascinação e de condicionamento absoluto ao outro é conhecido como "transferência", que não é outra coisa exceto a projeção. Projeção, entretanto, não significa apenas a transferência de uma imagem para uma outra pessoa, mas com a imagem tornam-se costumeiras também as atividades que a ela correspondem, imaginadas para a outra pessoa, como, por exemplo, um homem ao qual é transferida a imagem do animus e que ao mesmo tempo tem de assumir todas aquelas funções que permaneceram pouco desenvolvidas na mulher em questão, seja a função ou atividade do pensamento ou a responsabilidade em relação ao exterior. A mulher em quem o homem projeta sua anima deve sentir ou criar relações por ele, e esse comportamento simbiótico é, na minha opinião, a verdadeira razão para a dependência forçada e o condicionalismo que surge nesses casos.

Muitas vezes, entretanto, um estado de projeção perfeito e feliz não dura muito, sobretudo quando se tem uma relação próxima com a pessoa em questão. Nesse caso, é frequente que em pouco tempo a incongruência entre a imagem e seu portador se torne visível. Um arquétipo, tal como o é o animus, nunca coincide com uma pessoa individual, tanto menos quanto mais individual for a pessoa. Na verdade a individualidade é o contrário do arquétipo, pois o individual é exatamente aquilo que de alguma forma não é típico, e sim talvez a mistura única e original de traços típicos.

Quando essa diferença entre a imagem e seu portador se instaura, nós, muito confusos e decepcionados, nos damos conta de que o homem que parecia incorporar a imagem do animus de forma alguma lhe corresponde, comportando-se constantemente de maneira muito diferente da que julgaríamos conveniente. Talvez a princípio haja um esforço para enganar-se a si mesmo a esse respeito, e muitas vezes isso dá certo com relativa facilidade graças a uma habilidade de adaptação que se deve a uma capacidade de diferenciação pouco apurada. Frequentemente também tenta-se com astúcia fazer do homem aquilo que ele deveria representar. Não apenas por meio do exercício de pressão ou coação consciente, o que acontece muito mais vezes é que, de maneira inconsciente levamos nosso parceiro a um comportamento arquetípico, isto é, um comportamento de animus, por meio do nosso próprio comportamento. O mesmo vale naturalmente para o homem. Também ele gostaria de ver na mulher a imagem que tem em si, e através desse desejo, que atua como uma sugestão, pode levá-la a não viver a si mesma, fazendo-a tornar-se uma figura de anima. Isso e a circunstância de que anima e animus determinam um ao outro, isto é, que uma manifestação de anima evoca o animus e vice-versa, com o que, põe-se em andamento um círculo vicioso difícil de interromper, forma-se uma das piores complicações no relacionamento entre homem e mulher.

Mas quando se descobriu a incongruência entre pessoa e figura já se está em meio ao conflito, e não resta outra coisa a fazer exceto efetuar a diferenciação entre a imagem *interna* e a pessoa *externa*. Com isso chegamos ao problema do animus em seu sentido mais próprio, aquele dos componentes masculino-espirituais próprios. Parece-me que o comportamento em relação a estes, seu conhecimento, o conflito com eles, sua incorporação no todo da personalidade, formam o cerne deste que talvez seja o problema mais importante de muitas mulheres atuais. O fato de tratar-se de um complexo, de um órgão que pertence à individualidade e que está destinado ao funcionamento, explica que o animus atraia a libido para si até atingir uma dimensão imponente, até tornar-se uma figura autônoma.

É de se presumir que todos os órgãos ou complexos orgânicos tenham uma tendência, uma possibilidade e uma disposição que visa seu funcionamento, e que quando uma quantidade insuficiente de libido flui para o órgão em questão, isso se manifesta, resultando em perturbações, ou seja, no surgimento de sintomas. Consequentemente, dada uma figura de animus forte, uma assim chamada "mania de animus", eu concluiria que a pessoa atingida dá muito pouca atenção àquilo que nela é masculino-espiritual, à estruturação do seu logos, e que ela ou não o educou e aplicou ou não o fez da maneira correta. Isso talvez pareça paradoxal, pois aparenta acontecer a partir do exterior, como se o feminino não fosse levado em conta de maneira suficiente, pois o comportamento dessas mulheres nos parece masculino demais, sentindo-se falta da feminilidade. Mas a masculinidade de que aparentemente se é portador me parece mais um sinal de que algo masculino, na mulher, requer mais atenção. Por meio da aparição autocrática dessa masculinidade, o feminino primário é de qualquer forma dominado e reprimido, mas só pode retornar a seu lugar apropriado através de um desvio que passa pelo conflito com o masculino, o animus.

Ao que tudo indica, não basta agir intelectualmente, de maneira prática e masculina, como se pode ver em muitas mulheres que, por exemplo, completam um curso superior e exercem uma profissão intelectual masculina, e que ainda assim não chegaram a bom termo com seu animus. Uma tal educação e maneira de viver masculinas podem muito bem dar certo com base numa identificação com o animus, com o que o feminino é entretanto afastado. O que se pretende propriamente é a *espiritualidade feminina*, o logos da mulher ordenado no ser e na vida da mulher, de tal forma que se estabeleça uma ação conjunta harmônica e que uma das partes não seja relegada a uma vida nas sombras.

Uma primeira etapa no caminho para isso significa, como foi dito, a retirada da projeção, em que esta é reconhecida como tal e desligada de seu objeto; portanto, um primeiro ato da diferenciação que, parecendo tão simples, representa ainda assim um encargo pesado e muitas vezes uma renúncia dolorosa. Por meio dessa retirada da projeção, reconhecemos que não temos que lidar com algo que está fora de nós, mas com uma grandeza interior, e nos vemos diante da tarefa de aprender a conhecer a natureza e a atuação dessa grandeza, desse "homem em nós", para depois podermos, mais uma vez, diferenciá-lo de nós mesmas. Quando não se faz isso, tornamo-nos iguais ao animus ou somos possuídas por ele, um estado que produz os efeitos mais funestos. Pois quando o feminino é assim dominado pelo animus e forçado para o segundo plano, surgem facilmente depressões, insatisfação geral, perda da sensação de vida, sintomas compreensíveis para o fato de que uma metade da personalidade tem sua vida quase roubada pela usurpação do animus.

Além disso, o animus coloca-se de maneira perturbadora entre nós e as outras pessoas e a vida em geral. É muito difícil reconhecer em nós mesmas essa mania, e isso é mais difícil quanto maior ela é. É portanto de grande utilidade observar como se age em relação às outras pessoas e, em consequência, examinar suas reações, se elas possivelmente foram evocadas por uma identificação de animus inconsciente. Essa orientação por outras pessoas constitui uma ajuda inestimável no cansativo processo de diferenciação e ordenação do animus, que com frequência é superior às energias individuais; acredito mesmo que, sem a relação com uma pessoa por quem se pode sempre orientar novamente, é quase impossível livrar-se do cerco demoníaco exercido pelo animus. O que acontece quando se está num estado de identidade com o animus é que nós pensamos, dizemos ou fazemos algo, convencidos de que somos nós, quando na realidade é o animus que fala por meio de nós sem que tenhamos consciência dele. Muitas vezes, é muito difícil até mesmo perceber que um pensamento ou opinião é ditado pelo animus e não algo de que estejamos convictos, pois ele dispõe de uma espécie de autoridade e poder de sugestão diretos, violentos. A autoridade ele retira de sua filiação ao espírito em geral; o poder de sugestão, no entanto, é retirado da própria passividade de pensamento da mulher e da falta de crítica correspondente. Essas opiniões ou concepções mencionadas, apresentadas em geral com grande *aplomb*, são uma manifestação característica sobretudo do animus. Características porque, correspondentemente ao princípio do logos, são concepções ou verdades de validade geral, que na verdade são corretas em si mesmas, mas que não correspondem ao caso dado, já que o individual e o especial de uma situação não são aí levados em conta. Essa espécie de julgamento pronto e válido para qualquer caso é utilizado com propriedade apenas na ciência (e, nela, sobretudo na matemática, onde dois e dois sempre dão quatro), ao contrário do que acontece na vida; pois nesta ou o objeto do discurso ou seu tratamento é corrompido, ou ainda a própria pessoa emite um julgamento estabelecido sem levar em consideração seus próprios sentimentos.

Esse tipo de pensamento sem sentido ocorre de qualquer forma também nos homens, por exemplo, quando é idêntico à razão ou ao princípio do logos e não pensa ele mesmo, mas deixa que "isso" pense. É claro que tais homens são sobretudo apropriados para incorporar o animus de uma mulher. Não posso, entretanto, aprofundar-me neste ponto já que aqui estou tratando exclusivamente dos fenômenos do animus feminino. Uma das expressões mais importantes do animus é, portanto, o *julgamento*. Ele se comporta com pensamentos em geral da mesma maneira que com julgamentos, ou seja, eles importunam a pessoa a partir de dentro como algo pronto e por assim dizer irrefutável. Ou, quando se originam no exterior, eles são adotados porque de alguma forma parecem iluminadores ou atraentes. Mas em geral, por outro lado, a mulher não se sente levada a adotar ou até mesmo a refletir sobre esses pensamentos para poder compreendê-los. A capacidade de diferenciação pouco desenvolvida leva a que se acolha com o mesmo respeito e com a mesma admiração pensamentos válidos e outros sem valor algum, pois tudo o que de alguma maneira lembra o espírito impõe-se e exerce sobre ela uma fascinação sinistra. Daí o sucesso de muitos charlatães, que com uma espécie de pseudoespírito obtêm resultados surpreendentes! Por outro lado, no entanto, a capacidade de diferenciação deficiente tem também seu lado bom: ele deixa a mulher sem preconceitos, de forma que ela muitas vezes sabe descobrir e apreciar valores espirituais mais rapidamente que o homem, cuja crítica desenvolvida o torna desconfiado e preconceituoso, precisando portanto de mais tempo até reconhecer um valor que pessoas menos preconceituosas já tinham reconhecido como tal havia muito tempo.

O pensamento próprio da mulher (eu me refiro aqui à mulher em geral, sabendo que existem muitas mulheres que há muito ultrapassaram esse estágio, tendo já desenvolvido de maneira extensa tanto seu pensamento quanto seu ser espiritual) é preponderantemente prático e aplicado, aquilo que se chama uma compreensão humana saudável, em geral dirigida ao que está próximo e ao pessoal. Até aí ele está funcionando de modo adequado no lugar que lhe cabe, não pertencendo propriamente àquilo que entendemos ser o animus em seu senso estrito. Ele se torna tal somente quando a energia espiritual não é mais dirigida apenas ao domínio da vida cotidiana, procurando além disso um outro campo de ação.

Em geral pode-se dizer que o espiritual da mulher, tal como se apresenta, é um caráter pouco desenvolvido, infantil ou primitivo: curiosidade em vez de desejo de conhecimento, preconceito em lugar de julgamento, imaginação ou sonho em vez de pensamento, desejo em vez de vontade.

Onde o homem trata de problemas, a mulher contenta-se com adivinhações; onde ele alcança sabedoria e conhecimento, a mulher se satisfaz com crenças ou superstições, ou faz suposições. Trata-se de estágios elementares que podem ser comprovados no espírito infantil e também no espírito primitivo. É assim que a curiosidade se apresenta às crianças e às pessoas primitivas, bem como os papéis desempenhados pela crença e pela superstição. No *Edda*, há uma competição de enigmas entre o errante Odin e seu anfitrião, lembrando um tempo em que o espírito humano se exercitava com enigmas, como o feminino o faz hoje de forma preponderante. Temos também relatos semelhantes do mundo medieval e clássico. Eu me lembro do enigma da esfinge ou do de Édipo, nas sutilezas dos sofistas e escolásticos.

O "pensamento ilusório" (*Wunschdenken, wishful thinking*) corresponde da mesma forma a um determinado estágio de desenvolvimento espiritual. Ele é encontrado em temas de contos de fadas, e aí frequentemente como algo já passado quando a história decorre "na época em que ter desejos ainda ajudava". O uso da magia, quando se deseja algo a alguém, também está na base dessa mesma representação. Em sua "Mitologia Alemã", Grimm aponta a relação entre desejo, representação e pensamento:

"Um antigo nome nórdico de Wotan parece ser Oski ou Desejo. (As Valquírias são também chamadas de donzelas do desejo.) Odin, errante e deus do vento, senhor do exército dos espíritos e descobridor das runas, é um espírito-deus típico, embora uma figura primitiva, ainda rústica."[8] Como tal, ele é senhor do desejo, isto é, não apenas doador de tudo o que é bom e perfeito, que está compreendido no desejo, podendo também provocar, criar através do desejo. Grimm interpreta: o desejo é a energia que mede, molda, dá, cria, forma a energia imaginativa, pensante e, portanto, também imaginação, ideia, imagem, forma.[9] E, em outro lugar, ele diz: "Significativamente, o desejo em sânscrito chama-se *manoratha*, roda do sentido... o *desejo* movimenta a roda do pensamento".[10]

Um tal deus do espírito e do vento é então comparável ao animus feminino em seu aspecto sobrenatural, divino – nós também o encontramos com forma semelhante em sonhos e fantasias –, e esse caráter de desejo é próprio do pensamento feminino. Quando se tem presente que a energia representativa não representa pouco para as pessoas, já que sempre que se quer pode-se criar uma imagem espiritual de alguma coisa, a realidade, ainda que imaterial, não deve ser negada, e então se compreende como é que imaginação, pensamento, desejo e criação foram equiparados. Sobretudo num estado relativamente inconsciente, onde as realidades externa e interna não estão separadas de forma nítida, transbordando uma na outra, é muito possível que uma realidade espiritual, isto é, algo imaginado ou um pensamento, seja considerado de maneira direta como real e concreto. Entre os primitivos também se encontra essa equiparação entre realidade externa concreta e realidade espiritual interior. Em seus escritos, Lévy-Bruhl[11] dá vários exemplos disso. Falar mais a respeito aqui nos levaria entretanto longe demais. A mesma manifestação encontra-se também de maneira muito clara na postura espiritual feminina!

Fica-se surpreso ao se descobrir, quando se observa mais atentamente, com que frequência nos passa pela cabeça que algo se comporta assim e assado, ou que alguém interessado em nós faz isso ou aquilo, fez ou vai fazer; e sem nem mesmo pensar a respeito, confrontando a ideia com a realidade, já estamos convencidas de que é assim, ou pelo menos estamos inclinadas a aceitar a pura imaginação como verdadeira e adotar a realidade correspondente. Outras criações da fantasia também são facilmente consideradas verdadeiras e podem às vezes até mesmo aparecer em forma concreta.

Uma das atividades do animus mais difíceis de identificar ocorre nesse terreno, nomeadamente o estabelecimento de uma imagem de desejo de si mesmo. O animus sabe muito bem como desenvolver uma imagem e torná-la crível, de forma que mostra-se aquilo que se gostaria de ser, como, por exemplo, "a amante ideal", "a comovente criança indefesa", "a servidora abnegada", "a extraordinariamente original", "a que na verdade nasceu para algo melhor" etc. Sem dúvida, essa atividade lhe confere poder sobre a pessoa até o ponto em que se seja forçado ou se decida, de maneira espontânea, sacrificar a imagem representada e ver-se como realmente se é.

A atividade espiritual feminina também se manifesta com muita frequência em cismas orientadas em geral retrospectivamente: que a própria pessoa, ou outras, deveria ter feito tudo de maneira diferente, e como; ou relações causais são construídas como se fossem uma obrigação. Gostamos de chamar a isso de "pensar", mas é claro que se trata de uma forma de atividade espiritual notavelmente próxima, e improdutiva, que na verdade leva somente à automortificação. Também aqui está mais uma vez caracterizada a deficiência no que se refere à diferenciação entre a realidade e aquilo que é apenas pensado ou imaginado. Poder-se-ia dizer também que o pensamento feminino, até onde não atua de forma prática como compreensão humana saudável, não é um pensamento propriamente dito, e sim mais sonho, imaginação, desejo e receio. Através da diferenciação espiritual primitiva entre imaginação e realidade pode-se então esclarecer em parte também o poder e a autoridade do fenômeno do animus: porque na verdade o espiritual, isto é, aquilo que é representado, possui ao mesmo tempo um caráter de realidade imediato, e por isso também o que o animus diz parece ser imediatamente verdadeiro.

Com isso chegamos à *magia da palavra.*

Da mesma forma que algo imaginado, um pensamento, a palavra também age como realidade para o espírito não diferenciado. Nosso mito bíblico da criação, por exemplo, no qual o mundo surge quando o criador pronuncia a palavra, é um documento desse tipo. O animus, portanto, também tem o poder mágico da palavra, e assim os homens que atuam pela palavra podem, no bom e no mau sentido, exercer grande poder sobre a mulher. Estaria eu falando demais quando dou a entender que a magia da palavra, a arte da conversa, é o que mais infalivelmente prende a mulher ao homem, seduzindo-a?

De qualquer forma, não é somente a mulher que está sujeita à magia da palavra, mas trata-se de um fenômeno de ocorrência geral: as runas sagradas da antiguidade, os mantras, fórmulas de oração e de magia de todos os tipos, chegando até as expressões técnicas e tópicas de nosso tempo – todos eles atestam o poder mágico do espírito tornado palavra.

Mas em geral é mais provável que a mulher se submeta a esse efeito mágico que um homem de nível correspondente. Este tem por natureza o impulso de compreender as coisas com as quais lida; como exemplo disso, os meninos pequenos adoram desmontar seus brinquedos para saber qual sua aparência por dentro ou descobrir como funciona. Esse impulso é muito menos pronunciado na mulher. Ela pode, por exemplo, manejar muito bem instrumentos ou máquinas sem que lhe ocorra querer estudar ou compreender sua construção. Por isso também uma palavra que lhe soe significativa pode se impor sem que ela na verdade entenda exatamente o seu sentido, enquanto o homem busca antes o significado.

Apresentar-se não como forma, *mas como palavra* (*logos* significa, afinal, "palavra") é uma forma de manifestação característica sobretudo do animus; isto é, como *uma voz que comenta* ou compartilha da repreensão ao comportamento seja qual for a situação em que se encontre. Muitas vezes, é apenas sob essa forma que o animus é percebido pela primeira vez como algo diferente do eu, muito antes que tenha se cristalizado em uma configuração pessoal. Até onde pude observar, essa voz manifesta-se principalmente em duas tonalidades; numa avaliação *crítica, em geral negativa*, de qualquer emoção, numa pesquisa minuciosa de todos os motivos e intenções que sem dúvida sempre provoca sentimentos de inferioridade e costuma sufocar cada iniciativa, cada desejo ainda em gérmen. Como variação, até agora fizeram-se elogios exagerados, e o resultado desse julgamento extremo é que se oscila entre a consciência de total nulidade e um elevado sentimento de valor e de si mesmo.

A segunda tonalidade movimenta-se mais ou menos exclusivamente no estabelecimento de mandamentos e proibições ou em ditar concepções em geral válidas. Parece que aqui são expressos dois lados importantes da função do logos: por um lado, a discriminação, o julgamento e o reconhecimento; por outro, a abstração e o estabelecimento de leis gerais. Poder-se-ia dizer, talvez, que onde o primeiro tipo de funcionamento predomina a figura do animus aparece como *uma* pessoa, enquanto ela, quando o segundo tipo predomina, surge como *vários*, uma espécie de "conselho". Discriminação e julgamento correspondem mais a um indivíduo, enquanto o estabelecimento e abstração de leis, as quais têm por pressuposto a comparação e a concordância de muitos, é expresso de maneira conveniente, por uma maioria.

O que entretanto se refere com exatidão àquilo que é criativo no espírito é reconhecidamente algo muito raro na mulher. Há muitas mulheres que já desenvolveram bastante sua capacidade de pensamento e diferenciação, sua crítica, mas muito poucas são espiritualmente criativas como o homem. Dizem as más línguas que a mulher possui tão pouco talento para a invenção que se o homem não tivesse descoberto a colher ela estaria mexendo a sopa até hoje com um pau.

O criativo na mulher expressa-se bastante mais na vida que em obras, não apenas em sua função biológica como mãe, mas na configuração da vida como um todo, seja em seu papel de companheira do homem, em sua atividade como educadora da criança, como dona de casa ou sob qualquer outra forma. A configuração de relações pertence preferencialmente à configuração da vida, e esta é a área apropriada para a energia criativa feminina.

Nos produtos do inconsciente, em sonhos, fantasias ou simplesmente em pensamentos que se nos apresentam, encontramos também no entanto o momento do espiritual-criativo, isto é, esses produtos com frequência contêm ideias, verdades de natureza pura e absolutamente objetiva e impessoal. A transmissão de tais conhecimentos e conteúdos é muito apropriadamente a função do animus *superior*.

Encontra-se com frequência em sonhos, sobretudo de mulheres que têm um pensamento mal-desenvolvido ou uma educação pobre, símbolos científicos abstratos que praticamente não podem mais ser entendidos como pessoais, representando diagnósticos ou ideias objetivas que são mais surpreendentes para a própria mulher que os sonha que para qualquer outra pessoa. Assim, eu conheço uma mulher para quem o pensamento é a "função inferior",[12] mas em cujos sonhos o assunto mais frequente são questões de astronomia e física e instrumentos técnicos de todo tipo. Uma outra mulher, de um tipo totalmente irracional, desenhava como representação de conteúdos inconscientes apenas figuras estritamente geométricas, formas bastante semelhantes a cristais, como se pode encontrar em livros escolares de geometria ou de mineralogia. E ainda em outras o animus transmite visões de mundo e de vida que fogem muito de seu pensamento consciente, e cuja qualidade criativa não pode ser negada.

Entretanto, na área em que a atividade criativa da mulher é mais ostensiva, naquela das relações humanas, o criativo é menos fruto do espírito no sentido de logos, sendo muito mais produto do sentimento, de par com a intuição ou a sensibilidade. Aqui, ao contrário, o animus pode ser diretamente perigoso, quando ele interfere como intelecto em lugar de sentimento nas relações e, dessa maneira, as dificulta ou impossibilita. Acontece com muita frequência que, em vez de se apreender a situação ou o outro por meio do sentimento e encará-los de maneira correspondente, se imagina algo sobre eles e é a essa fantasia que se tem de reagir de forma humana; pode ser uma atitude muito correta, bem-intencionada e sensata, mas que não funciona, ou funciona da maneira errada, por ser apenas objetiva e factualmente correta, porque o parceiro ou a relação não requer naquele momento conhecimento ou objetividade, e sim intuição. É muito comum acontecer de, com o sentimento de se estar agindo muito valorosamente, adotar-se uma dessas atitudes pragmáticas e com isso arruinar uma situação por completo. A incapacidade de se compreender que conhecimento, razão e pragmatismo não têm sentido em determinados lugares costuma ser surpreendente. Eu só posso explicar isso pelo fato de que se está acostumado a encarar o gênero masculino em si mesmo como algo de maior valor, superior ao feminino, de tal forma que se acredita que uma postura masculino-pragmática seria, em qualquer caso, melhor que uma feminina-pessoal. Isso diz respeito especialmente às mulheres que já alcançaram uma determinada conscientização e valoração daquilo que é lógico-racional.

Chegamos aqui a uma diferença muito importante entre o problema do animus da mulher e o problema da anima do homem, que, segundo me parece, merece a nossa atenção.

Quando o homem descobre sua anima e tem de brigar com ela, ele precisa aceitar algo que para ele até então tinha pouco valor – nesse caso, não faz muita diferença que a figura da anima, seja ela imagem ou pessoa, aja de maneira fascinante, atraente, e portanto valiosa. Muitas vezes, o feminino em si teve até agora em nosso mundo, quando comparado ao masculino, o valor de algo inferior, e somente agora começa-se a se fazer justiça a ele. Expressões como "apenas uma garota" ou "uma moça não faz uma coisa dessas", um comportamento que o representa como desprezível e inferior, são bastante característicos. Também nas nossas leis, nas quais até pouco tempo atrás e em muitos lugares até hoje o homem declaradamente precede a mulher, tem mais direitos, é seu tutor etc., essa concepção era dominante em todos os lugares. Em consequência, o homem, quando estabelece relações com sua anima, tem igualmente que descer do pedestal em que está, precisa vencer uma resistência, superar seu orgulho, quando ele reconhece "a senhora", segundo Spitteler, ou "she-that-must-be-obeyed", como a chama Ryder Haggard. Com a mulher é diferente. Não se chama o animus de "he-that-must-be-obeyed", pelo contrário, pois instintivamente é demasiado óbvio para a mulher obedecer à autoridade do animus, ou também do homem, com subserviência de escrava. A concepção de que o masculino tem em si mais valor que o feminino está em seu sangue, por mais que ela conscientemente pense de outra maneira, e contribui muito para acentuar o poder do animus. O que precisamos superar em relação ao animus não é o orgulho, mas sim a falta de autoconfiança e a resistência da indolência. Para nós, não é como se tivéssemos que subir a montanha (a não ser quando se é idêntica ao animus), mas como se tivéssemos que provar nosso valor, o que com frequência requer coragem ou força de vontade. Para nós, é como se fosse uma petulância quando opomos nossas próprias convicções incompetentes aos julgamentos do animus e do homem, que reivindicam validade universal; e muitas vezes não é pouco o que custa animar-se a uma tal igualdade espiritual ao que tudo indica atrevida, pois aí pode-se facilmente ser mal compreendida ou julgada de forma errônea. Mas sem esse ato de insurreição, ainda que se tenha que sofrer as consequências, a mulher nunca se libertará do poder do tirano. Visto de fora, ele parece muitas vezes ser exatamente o contrário, pois com demasiada frequência surge uma segurança arrogante, um *aplomb* que não admite absolutamente nada, e nota-se menos a timidez e a falta de convicção em si mesma. Na verdade, essa atitude obstinada e confiante, ou até mesmo combativa, deveria ser confrontada com o animus e às vezes é bem isso o que pretende, mas em geral ela é o sinal de uma identidade mais ou menos completa.

Não somos somente nós na Europa que sofremos desse culto aos homens que sem dúvida ainda sobrevive, ou melhor, dessa supervalorização do masculino. Também na América, onde se costuma falar de um culto à mulher, a coisa no fundo não é diferente. Uma médica americana com grande experiência me disse que todas as suas pacientes sofrem com a inferioridade do próprio sexo, e que ela antes de qualquer coisa precisava insistir com todas para que concedessem ao feminino o valor que lhe é devido.

Em contrapartida, são raros os homens que têm pouca consideração para com o próprio sexo; ao contrário, em geral eles se orgulham dele. Moças que gostariam de ser rapazes há muitas, mas um rapaz que gostaria de ser uma menina é visto como algo quase depravado.

A partir desse estado de coisas, o posicionamento da mulher em relação ao animus resulta naturalmente muito diferente do que o posicionamento do homem em relação à anima. E muitas manifestações ligadas a isso, que o homem não pode compreender como paralelas à sua vivência da anima e vice-versa, devem ser atribuídas ao ponto de vista de que, sob esse aspecto, as tarefas do homem e da mulher são diferentes.

Sem dúvida, há sacrifícios também para a mulher. Para ela, tornar-se consciente significa a perda de um poder especificamente feminino. Com a sua inconsciência e graças a ela a mulher exerce um efeito mágico sobre o homem, uma magia que lhe confere poder sobre ele. E por sentir isso de maneira instintiva e não querer perder esse poder, ela muitas vezes opõe-se com tenacidade à conscientização, mesmo que o espiritual como tal pareça-lhe bastante desejável. Muitas mulheres mantêm-se por assim dizer artificialmente inconscientes somente para não ter que fazer esse sacrifício. Mas é preciso dizer, no entanto, que nisso muitas vezes a mulher é também corroborada pelo homem, pois muitos homens encontram prazer exatamente na inconsciência da mulher e colocam todos os obstáculos possíveis em seu caminho rumo a uma maior consciência, que parece a eles incômoda e desnecessária.

Outro ponto que costuma passar despercebido e que eu também gostaria de mencionar agora está na *função* do animus em relação à anima. A concepção corrente é que animus e anima são agentes mediadores entre os conteúdos inconscientes e a consciência, e com isso quer-se dizer que ambos trabalham exatamente da mesma maneira. Isso procede de uma maneira geral, mas me parece importante apontar também a diferença de papéis do animus e da anima. O papel de transmitir conteúdos inconscientes, no sentido de torná-los visíveis, recai acima de tudo sobre a anima. Ela ajuda na percepção de coisas que de outra maneira permanecem no escuro. Há uma condição prévia para isso: trata-se de uma espécie de escurecimento da consciência, portanto da instalação de uma consciência mais feminina, que é menos penetrante e clara que a masculina, mas que num âmbito mais amplo percebe coisas ainda vagas. O dom visionário da mulher, sua capacidade de intuição é conhecido há eras. Seus olhos mais desfocados permitem-lhe pressentir o escuro e ver o que está oculto. Essa visão, a percepção daquilo que não pode ser visto de outra maneira, torna-se possível ao homem através da anima.

No animus, entretanto, a tônica não se encontra na percepção pura e simples – como foi dito, isso já foi concedido ao espírito feminino desde sempre –, mas sim, de acordo com o ser do logos, no *conhecimento* e sobretudo na *compreensão*. O que o animus tem a transmitir é mais o *sentido* que a *imagem*.

Seria um erro acreditar que alguém empregou seu animus quando esse alguém abandona-se à sua fantasia passiva. Não se deve esquecer que dar corda à sua atividade de fantasia é a norma para a mulher, não representando isso qualquer realização; acontecimentos ou imagens irracionais cujo sentido não se compreende parecem para ela algo totalmente natural, enquanto, para o homem, lidar com isso é uma realização, significando uma espécie de sacrifício da *ratio*, um salto da luz para a escuridão, do claro para o opaco. Para o homem é um esforço admitir que todos os conteúdos aparentemente incompreensíveis ou mesmo sem sentido poderiam ter valor; além disso, a postura passiva, exigida pela contemplação, corresponde no todo menos à natureza ativa do homem. Para a mulher isso não é difícil. Ela não tem nenhuma premeditação contra o irracional, não tem a necessidade de encontrar de imediato um sentido para tudo, nem aversão pelo passivo suportar tudo isso. Para aquelas mulheres para as quais o inconsciente não se abre facilmente, que encontram dificuldade em ter acesso a seus conteúdos, o animus pode tornar-se mais um empecilho que uma ajuda quando quer analisar e compreender de imediato cada imagem que emerge antes mesmo que ela pudesse ser percebida. O animus deve exibir sua genuína eficácia somente depois que esses conteúdos tiverem penetrado na consciência, tendo já talvez até mesmo tomado forma. Neste momento, sua assistência é então inestimável, pois ele ajuda para que se chegue à compreensão e ao sentido.

É possível, entretanto, que alguém seja notificado de um sentido diretamente a partir do inconsciente, de forma que não são símbolos ou imagens que se apresentam, mas um conhecimento pronto expresso em palavras. Esta é, na verdade, uma manifestação muito característica do animus; muitas vezes o difícil é apenas descobrir se no caso se trata de um dos significados conhecidos, válidos universalmente, e portanto coletivos, ou de uma inteligência real, e portanto condicionada ao indivíduo. Para que isso fique claro, requer-se mais uma vez apreciação crítica consciente e uma diferenciação clara entre a própria pessoa e o animus.

2. A REPRESENTAÇÃO DO ANIMUS ATRAVÉS DAS IMAGENS DO INCONSCIENTE

Depois de ter tentado mostrar até aqui como o animus se manifesta para o exterior e na consciência, eu gostaria, a seguir, de discorrer sobre como as imagens do inconsciente o representam, como ele aparece em sonhos e fantasias. Aprender a conhecer essa forma bem como manter com ela conversas e discussões ocasionais são um importante passo adiante no caminho para a diferenciação. Surge aqui uma nova dificuldade, que se trata do reconhecimento do animus como imagem ou figura. Esta consiste em sua *multiplicidade de formas*. Nós ouvimos de homens que a anima quase sempre surge com formas bastante determinadas, acontecendo isso de modo mais ou menos semelhante com todos os homens: como mãe ou amada, irmã ou filha, senhora ou escrava, sacerdotisa ou bruxa; com os respectivos sinais contraditórios, de um ser claro e escuro, prestimoso e pernicioso, elevado e baixo.

Na mulher, pelo contrário, emerge ou uma quantidade de homens, um bando de pais, um conselho ou um tribunal ou ainda uma assembleia de homens sábios, ou então um artista transformista que pode assumir qualquer forma e que faz uso abundante dessa capacidade.

Esclareço essa diferença para mim mesma da seguinte maneira: o homem tem a experiência da mulher na verdade apenas nas personificações citadas acima, como mulher ou amante, irmã ou filha, senhora ou servidora etc.; na verdade, portanto, sempre de uma maneira que se relaciona com ele. Estas são as formas sob as quais sua existência se deu desde sempre. A vida do homem, ao contrário, assumiu formas variadas, já que sua tarefa biológica lhe deixou tempo para muitas outras coisas. No que se refere às variadas áreas de atividades masculinas, o animus pode surgir como representante ou mestre de qualquer tipo de poder ou saber. É característico da figura da anima que todas as suas formas sejam ao mesmo tempo formas de relacionamento. (Mesmo quando ela aparece como sacerdotisa ou bruxa, esta se encontra sempre em uma relação especial com o homem, cuja anima ela incorpora, de modo que ela ou lhe confia um segredo ou o enfeitiça.) Eu me lembro da *She* de Rider Haggard, em que até mesmo a relação especial é apresentada como milenar.

Na figura do animus, por outro lado, tal *relação* não tem que ser necessariamente representada. De maneira correspondente à orientação prática do homem, característica do princípio do logos, essa figura pode aparecer de forma pura e absolutamente objetiva e não relacionada, como sábio, juiz, artista, piloto, mecânico etc. E não é raro que ela surja apenas como o *estranho*. Talvez justamente essa forma seja sobretudo característica, pois para a alma puramente feminina o espírito significa o *estranho*, o desconhecido.

Parece-me que a capacidade de assumir formas diversas é uma propriedade do espírito que expressa algo semelhante à mobilidade, isto é, a propriedade de percorrer grandes distâncias em um curto espaço de tempo, que o pensamento tem em comum com a luz e com o qual o ideal do pensamento de que falamos acima está relacionado. O animus, portanto, com frequência aparece como piloto, motorista, esquiador ou dançarino, quando justamente essa leveza e velocidade devem ser acentuadas. As duas propriedades, a *capacidade de metamorfose* e a *rapidez*, podem ser encontradas em muitos mitos e contos de fadas como propriedades de um deus ou de um mago: Wotan, senhor dos ventos e chefe da horda dos espíritos, que eu já mencionei, Loki, o flamejante, e Mercúrio com os sapatos alados representam esse aspecto do logos, que se movimenta com vivacidade, imaterial, que de uma certa maneira é apenas dinâmica sem propriedades fixas e que expressa possibilidade de forma, sendo ao mesmo tempo um espírito, que "flutua para onde quer".

O animus surge personificado em sonhos e fantasias sobretudo na forma de um homem real: como pai, amante, irmão, professor, juiz, sábio, como mago, artista, filósofo, erudito, engenheiro, monge, sobretudo jesuíta, ou como comerciante, piloto, motorista etc., em suma, inteiramente como um homem caracterizado de alguma maneira por capacidades espirituais ou por outras qualidades masculinas. Isso pode ocorrer no sentido positivo, como pai prestativo e bem-intencionado, como amante encantador, amigo compreensivo, líder superior, ou então como tirano violento e sem consideração, admoestador, pregador moral e juiz da moral, e então mais uma vez como sedutor e explorador e frequentemente também, por meio de uma mistura de ilusionismo intelectual e questionamento humano, um fascinante pseudo-herói. Ele é também representado às vezes como um rapaz, o filho ou um jovem amigo, nesse caso quase sempre quando o componente masculino da mulher é entendido sobretudo como em desenvolvimento. Em muitas mulheres, como já foi dito, ele aparece de preferência de forma múltipla, como um conselho que decide sobre tudo o que acontece, que transmite prescrições e proibições ou expressa concepções de validade universal.[13] Se ele aparece mais como indivíduo que troca de máscaras ou como muitos ao mesmo tempo, pode depender da situação em que a mulher em questão se encontra e eventualmente também da fase de desenvolvimento do momento. Eu não posso tratar aqui de todas as variadas formas de aparição pessoais do animus, e me contento, neste momento, com uma série de sonhos e fantasias, em mostrar como ele se apresenta ao olho interior, como ele aparece à luz do mundo dos sonhos. São exemplos nos quais o caráter arquetípico está especialmente nítido e que contêm ao mesmo tempo indícios de um desenvolvimento.

O surgimento dessas figuras instituiu-se na mulher em questão numa época em que a atividade espiritual independente tornou-se um problema e a figura do animus começou a desligar-se da pessoa em que fora projetada.

Surgiu então em sonho um monstro com cabeça de ave cujo corpo era constituído apenas de uma bolha que podia assumir a forma que quisesse: dele sabia-se que antes tinha se apossado do homem sobre quem o animus fora projetado, e que era preciso ocultar-se dele, pois ele gostava de devorar pessoas, mas que não as matava, precisando elas continuar a viver em seu interior.

A forma de bolha indica algo que ainda se encontra num estágio inicial – somente a cabeça, como órgão característico do animus, está diferenciada, e logo como a cabeça de um ser aéreo –, além disso qualquer forma pode surgir, e a voracidade aponta para uma necessidade de expansão e desenvolvimento dessa grandeza ainda indiferenciada. A propriedade da voracidade é iluminada por um provérbio que está no *Kandogya Upanishad*, que trata da natureza de Brahma: "O vento é, na verdade, o que arrebata, pois quando o fogo se apaga, ele entra no vento, e quando o Sol se põe, ele entra no vento, e quando a Lua se põe, ela entra no vento, e quando as águas secam, elas entram no vento, pois o vento arrebata a todos eles". É assim com referência à divindade.

"Agora em relação a si mesmo. A respiração é a que arrebata, pois, quando se dorme, então a conversa entra na respiração; na respiração, o olho; na respiração, o ouvido; na respiração, o manas; pois a respiração arrebata a todos eles. Estes dois são, portanto, os dois arrebatadores. O vento entre os deuses, a respiração entre as brisas da vida."[14]

Ao lado desse ser de Ar com cabeça de pássaro surge uma espécie de espírito do fogo, um ser elementar, constituído apenas de chamas e que se encontra em constante movimento, e que é chamado de filho da "mãe inferior". Essa figura materna, em vez de uma mãe celeste e luminosa, incorpora o feminino primordial como pesado, ligado à terra, versado em magia, um poder às vezes prestativo, às vezes sinistro como uma bruxa e muitas vezes até mesmo destrutivo. Seu filho seria, portanto, um espírito do fogo telúrico, que lembra o Logi ou Loki da mitologia nórdica, o qual (segundo Grimm) é representado por um gigante dotado de poder criativo, mas também ao mesmo tempo como um vilão astuto e sedutor, do qual surgiu posteriormente o demônio cristão. Na mitologia grega, ele corresponde a Hefesto, o deus do fogo terrestre, mas que em sua atividade de ferreiro aponta para um fogo domesticado, enquanto no Logi nórdico está incorporada mais a força da natureza elementar, sem direção. Como filho da mãe inferior, esse espírito do fogo terrestre está próximo da mulher e é seu conhecido. Ele se manifesta de maneira positiva em atividades práticas, sobretudo na manipulação da matéria e também em sua elaboração artística, e de maneira negativa em estados de tensão ou em explosões de afeto, e muitas vezes de uma maneira duvidosa e fatal como aliado do feminino primordial, como instigador ou energia auxiliar daquilo que geralmente é conhecido sob a denominação de "arte diabólica" e de feitiço feminino. Seria possível caracterizá-lo como logos baixo ou inferior, em oposição a um logos superior, elevado, que está esboçado no ser de Ar com cabeça de ave e corresponde ao deus do vento e ao espírito Wotan ou ao guia de almas, Hermes, da mitologia, que não descendem da mãe inferior, pertencendo, sim, a um pai distante e desconhecido.

O motivo da mudança de forma retorna em um sonho subsequente, no qual é mostrada uma imagem com o título "Urgo, o dragão mágico". Nela está representado um ser semelhante a uma serpente ou um dragão com uma menina que se encontra em seu poder. O dragão tem a capacidade de se expandir em todas as direções, de forma que a menina não tem nenhuma possibilidade de escapar do alcance do monstro, já que a qualquer movimento da menina ele se estica para o lado correspondente, impossibilitando assim a fuga.

A menina é uma figura que sempre se repete em todos esses sonhos e fantasias, que pode ser concebida como alma mais ou menos no sentido de individualidade inconsciente.

Na nossa imagem onírica, ela está apenas esboçada como uma sombra, com traços faciais irreconhecíveis, mas ainda assim totalmente em poder do dragão. Cada um de seus movimentos é observado e medido por ele. Não parece ser possível livrar-se dessa situação.

Mostra-se no entanto um desenvolvimento do sonho na seguinte fantasia: um artista mágico exibe suas bailarinas para um príncipe indiano. Estas, hipnotizadas pelo mago, dançam uma dança de metamorfoses, em que elas, tirando um véu após outro em colorida alternância, simulam ora animais, ora pessoas. Mas, apesar de estarem hipnotizadas pelo mago, o príncipe exerce um efeito misterioso sobre elas. Entrando mais e mais em êxtase e não prestando mais atenção às ordens do mago para que parem de dançar, elas continuam dançando até que, por fim, como um último véu, elas se livram de seu invólucro corpóreo e caem ao chão como esqueletos. Os restos são enterrados, do túmulo cresce uma flor e desta surge novamente uma mulher branca.

Trata-se do mesmo motivo: a menina em poder do mago, cujas ordens ela tem de obedecer por não ter outra opção. Na figura do rei, entretanto, surge um adversário do mago, que impõe limites ao seu poder sobre a menina e atua como se esta, em vez de agir sob ordens, como antes, dançasse a partir de então por si mesma. Agora a metamorfose, antes apenas representada, torna-se realidade, em que a bailarina morre e torna a aparecer da terra sob uma forma modificada e transfigurada.

Aqui é de especial importância a duplicação da figura do animus, que por um lado aparece como mago e por outro como príncipe. No mago está representado o poder mágico possuído pela forma inferior do animus, que leva a menina a assumir formas diferentes ou mudar de forma, enquanto o príncipe, como já diz a própria palavra, incorpora um princípio superior, que efetua uma metamorfose verdadeira e não apenas representada. Guiar e acompanhar mudanças e transformações da alma como um verdadeiro psicopompo é uma função importante do animus superior, isto é, suprapessoal.

O sonho seguinte dá uma outra variação do mesmo tema: a menina tem um amado fantástico, que mora na Lua e que a cada vez vem no barco da Lua Nova para receber um sacrifício de sangue, que a menina lhe leva. No entretempo, a menina vive livre como uma pessoa entre pessoas, mas quando a Lua Nova se aproxima o espírito a transforma num animal feroz e, seguindo um impulso irresistível, ela precisa subir a altitudes solitárias e lá oferecer o sacrifício ao seu amado. Mas o espírito da Lua transforma essa oferenda, de forma que esse mesmo espírito se torna o animal do sacrifício, que devora a si mesmo e se renova, transformando-se o sangue derramado numa estrutura semelhante a um vegetal, em que nascem flores e folhas multicoloridas.

Em outras palavras: através do sangue recebido, isto é, da libido que flui para ele, o princípio espiritual perde o caráter perigosamente urgente e destrutivo e torna-se uma vida própria, uma atividade em si.

O mesmo princípio aparece ainda como o *Barba Azul*, uma bem conhecida forma do animus retirada da literatura, isto é, do homem que seduz mulheres e, de maneira misteriosa e com intenções também misteriosas, as mata.

Em nosso caso, ele caracteristicamente tem o nome de *Amandus*. Ele atrai a menina à sua casa, dá-lhe vinho para beber e depois a leva a um aposento subterrâneo para matá-la. Quando ele se prepara para fazê-lo, a menina é tomada por uma espécie de embriaguez. Num súbito capricho de amor, ela abraça o assassino, que é, assim de imediato, destituído de todo o seu poder, e, com a promessa de no futuro ficar ao seu lado como espírito prestativo, dissolve-se no ar.

Assim como a urgência espiritual do noivo lunar desaparece com o sacrifício de sangue, aqui seu poder é destruído pelo amor, pelo abraço dado no temido monstro. Vejo nessas fantasias indícios de uma importante forma de manifestação arquetípica do animus, para as quais temos, do mesmo modo, paralelos mitológicos, e justamente no mito e culto de Dioniso.

O entusiasmo extático de que eram tomadas as dançarinas da nossa primeira fantasia, e que é superado pela menina na história do Barba Azul-Amandus, é uma aparição característica do culto dionisíaco. Nele são principalmente mulheres que servem ao deus e que são tomadas pelo seu espírito. *Roscher*[15] salienta ser característico que Dioniso seja servido por mulheres, divergindo da prática usual em que o deus é atendido por pessoas de seu próprio sexo.

Na história do espírito da Lua, é na oferenda de sangue e na transformação da menina num animal que podem ser encontrados paralelos com o culto de Dioniso. Neste, animais vivos eram sacrificados ou destroçados pelas mulheres enfurecidas, neste último caso um delírio selvagem infligido pelo deus. As festas dionisíacas diferenciam-se também do culto aos deuses olímpicos pelo fato de que ocorriam à noite em montanhas e florestas, como o sangue derramado ao espírito da Lua em nossa fantasia tem de ocorrer à noite em uma montanha.

Nesse contexto, deve-se mencionar ainda algumas figuras literárias bem conhecidas, como, por exemplo, a do Holandês Voador, o caçador de ratos de Hamelin, o aguadeiro ou rei dos elfos das canções populares, que com suas melodias atraíam moças a seus reinos aquáticos ou na floresta. Também "o estranho" na "Mulher do Lago" de Ibsen é uma dessas figuras em versão moderna.

A figura do caçador de ratos deve ser observada mais de perto como representante característico dessa forma do animus. A história do caçador de ratos é conhecida: com sua melodia, ele atrai ratos de todos os cantos, de tal forma que eles têm que segui-lo; mas não somente os ratos, também as crianças da cidade, que não quis gratificá-lo por seus serviços, são irresistivelmente atraídas por ele, que faz com que desapareçam em sua montanha. Pensa-se aí em Orfeu, que tocava sua lira de forma tão prodigiosa que homens e animais tinham de segui-lo. Este ser atraído irresistivelmente e ser levado a algum lugar distante desconhecido, água, floresta, uma montanha, é, segundo me parece, um fenômeno de animus típico, ainda que difícil de ser esclarecido, já que ele, ao contrário das outras naturezas do animus, não leva à consciência, mas ao inconsciente, como deixa entrever o desaparecimento na natureza ou no mundo inferior. O espinho de sono de Odin faz parte do mesmo fenômeno; quando alguém era tocado por ele, mergulhava num sonho profundo.

Na peça de teatro inglesa "Mary-Rose", de James M. Barrie, esse motivo está representado de forma bastante impressionante: Mary-Rose acompanhou seu marido a uma pescaria. Em uma pequena ilha, chamada *the island that wants to be visited*, ela deve esperá-lo. Enquanto espera, ela ouve chamarem pelo seu nome, segue a voz e desaparece para nunca mais voltar. Vinte anos depois ela retorna, da mesma forma como era antes, quando havia desaparecido, e acreditando ter passado apenas algumas horas na ilha, quando evidentemente foram anos.

O que está ilustrado por esse desaparecimento na natureza ou no mundo inferior, ou em ser tocado pelo espinho do sono, manifesta-se na vida cotidiana em que, como se irresistivelmente atraída de algum lugar, a libido desaparece da consciência e dos usos da vida indo para um outro mundo, em geral totalmente desconhecido. O mundo no qual se desaparece nesses casos ou é um mundo de fantasia ou de contos de fadas mais ou menos consciente, no qual as coisas são como se deseja, ou então está estruturado como um refúgio para compensar as agruras do mundo exterior. Mas muitas vezes descobre-se também nesses lugares distantes e profundos que nada que pertença a ele penetra na consciência em vigília, e também que depois que se volta a si não é possível dizer o que aconteceu nesse entretempo.

Se se quisesse caracterizar de maneira mais precisa o tipo de espírito que atua nessas aparições, poder-se-ia compará-lo ao espírito da música. A atração e o arrebatamento são também com muita frequência, como no caso da história do caçador de ratos, efetuados por meio da música. A música, portanto, pode ser entendida como uma objetivação do espírito, que nem expressa conhecimento no sentido usual, lógico-intelectual, nem se realiza materialmente, mas significa uma representação manifesta dos contextos mais profundos e da mais inabalável regularidade. Nesse sentido, a música é espírito, e espírito que leva a lugares escuros e remotos, não mais acessíveis à consciência, e cujos conteúdos quase não podem mais ser concebidos com palavras – mas sim por meio de números, por estranho que pareça – e também ao mesmo tempo e sobretudo através de sentimento e sensibilidade. Esse fato ao que tudo indica paradoxal mostra que a música tem condições de permitir o acesso a profundezas onde o espírito e a natureza são *ainda* ou *novamente* um, e por isso ela se constitui numa das formas principais e mais primitivas na qual a mulher vive o espírito de modo absoluto. Daí também o importante papel que a dança e a música como formas de expressão representam para a mulher. A dança ritual está claramente baseada em conteúdos espirituais. O arrebatamento para essas regiões cósmico-musicais distantes da consciência, que é obra desse espírito, constitui uma contrapartida à mentalidade consciente da mulher, voltada por outro lado para o que está mais próximo e para o mais pessoal. Mas de forma alguma trata-se de uma experiência inofensiva, ainda inequívoca pois, por um lado, ela pode significar simplesmente tornar-se inconsciente, o que não passa de um mergulho numa espécie de estado de sono, crepuscular, um retrocesso à natureza, que equivale a uma regressão a um nível inconsciente anterior e que por isso não tem valor, podendo ser até mesmo perigoso. Por outro lado, no entanto, ele pode significar uma experiência religiosa genuína, tendo então sem dúvida um valor inestimável.

Além das figuras mencionadas, que mostram o animus em um aspecto sinistro, perigoso, há ainda uma figura de outro tipo: no caso que se segue é um anjo com cabeça de pedra que abriga em sua mão um pássaro azul, o pássaro da alma. Essa função, a de protetor da alma, vem mais uma vez ao encontro daquela do guia de almas, a forma do animus superior, transpessoal. Essa forma superior do animus também não se deixa transformar em uma função subordinada à consciência, permanecendo uma grandeza sobreposta que deseja ser reconhecida e respeitada como tal. Na fantasia das dançarinas acima mencionada, esse princípio masculino-espiritual superior está incorporado na figura do príncipe. Trata-se, portanto, de um soberano, não no sentido de um mago, mas no sentido de um espírito superior, que não traz em si nada de telúrico e noturno, e que não é filho da mãe inferior, mas o representante, o enviado de um pai distante e desconhecido, um poder luminoso suprapessoal.

Todas essas figuras têm o caráter de *arquétipos*[16] (daí os paralelos mitológicos) e são consequentemente mais impessoais ou suprapessoais mesmo que também estejam voltados para um lado do indivíduo e estejam em relação com ele. Além deles, surge também o animus pessoal ou pertencente ao indivíduo, isto é, aquilo que é masculino ou espiritual e corresponde à própria aptidão da mulher que se desenvolve numa função ou atitude consciente que pode ser classificada no todo da personalidade, no sonho como um homem ligado à mulher que sonha, seja por laços de sentimento ou de sangue, seja por alguma atividade. Pode-se reconhecer aqui, mais um vez, as formas "superior" e "inferior", respectivamente com características positivas ou negativas. Às vezes ele é um amigo ou irmão há muito procurado ou esperado, um professor que a instrui, um sacerdote que executa com ela uma dança ritual ou um pintor que deve retratá-la. E então novamente um trabalhador chamado "Ernst"* vem morar em sua casa, e um ascensorista chamado "Constantin" entra a seu serviço. Às vezes ela tem que se ater a rapazinho malcriado e rebelde, precisa ter cuidado com um jesuíta tenebroso ou comerciantes mefistofélicos encomendam-lhe todo tipo de coisas magníficas.

Um ser independente, mas que apenas raramente emerge, é a figura do "Estranho". Em geral, apesar de sua estranheza, esse conhecido desconhecido traz uma mensagem ou uma ordem como enviado do distante príncipe da luz.

Com o tempo, as figuras aqui descritas tornam-se formas confiáveis, como é o caso com pessoas do mundo exterior de quem se está próximo ou a quem se encontra com frequência, e aprende-se a compreender por que cada vez aparece uma ou outra. Pode-se conversar com eles, recorrer aos seus conselhos ou à sua ajuda, tendo-se entretanto frequentemente de se defender de suas intervenções inoportunas e de se zangar com sua

---

* Ernst, em inglês, também significa "sério". (N.T.)

rebeldia. E deve-se estar sempre muito vigilante para que essas formas de aparição do animus não tentem tomar o poder e dominar a personalidade.

A diferenciação entre si mesmo e o animus e a nítida delimitação de seu âmbito de poder são de extraordinária importância; pois somente por esse meio torna-se possível livrar-se de sua identificação e possessão com suas consequências funestas. A conscientização e realização do próprio *self* caminha de mãos dadas com essa diferenciação, que se torna daí para diante uma instância decisiva.

Até onde o animus é uma grandeza superindividual, isto é, um espírito universal, ele pode relacionar-se conosco como guia de almas e gênio prestativo, mas não pode tornar-se subordinado à nossa consciência. No entanto, a coisa é diferente com aquele ser que quer ser acolhido como irmão, amigo, filho ou servidor. A ele, por seu lado, corresponde a tarefa de conseguir um lugar em nossa vida e em nossa personalidade e, com a energia que lhe é inata, iniciar algo.

Na maioria das vezes, disposições como, por exemplo, de nossos passatempos já deram indicações da direção em que essa energia pode atuar. E então também os sonhos muitas vezes mostram caminhos. Segundo as características individuais de cada um, serão estudos, livros, determinadas disciplinas etc., ou alguma atividade artística ou de organização. Mas será sempre um tipo de atividade factual objetiva, correspondente ao ser masculino que o animus representa. A disposição aqui necessária de se querer fazer alguma coisa e não de querer uma pessoa é penoso na mulher e muitas vezes só pode ser alcançada com esforço. Mas ela é justamente de especial importância, pois caso contrário as exigências a que o animus tem direito e que correspondem à sua índole brotam em outros lugares e, com a falsa objetividade já mencionada, estendem-se para onde não podem ser utilizadas, agindo, pelo contrário, da maneira errada.

Com exceção de atividades específicas desse tipo, o animus pode e deve ajudar também no conhecimento e num modo de ver as coisas e situações impessoal, objetivo e racional, isso de uma maneira geral, o que para a mulher, com seu interesse automático e muitas vezes demasiado subjetivo, significa uma aquisição valiosa e que lhe é muito útil também em sua área de atuação mais própria, a das relações. Assim, por exemplo, esse seu componente masculino a ajuda a compreender o homem e – isto é sobretudo salientado aqui – o animus, atuando de maneira autônoma com sua inapropriada "objetividade", o que tanto perturba as relações humanas, é muito importante também justamente pela sua prosperidade, pela capacidade de colocar-se de modo impessoal e objetivo.

Contudo, não é apenas nas *atividades espirituais* ou masculinas que a energia do animus pode agir; ela sobretudo possibilita também a formação de uma *atitude espiritual*, que liberta da limitação e acanhamento naquilo que é intimamente pessoal. Que confiança, que ajuda ele proporciona quando, por necessidades pessoais, queremos elevar-nos a pensamentos e sentimentos suprapessoais, parecendo o próprio sofrimento mesquinho e fútil quando comparado a eles!

Para se alcançar tal atitude e poder cumprir as tarefas que se apresentam é necessário sobretudo disciplina, que para a mulher, com seu ser ainda muito ligado à natureza, é bastante mais difícil que para o homem. Correspondentemente, o animus é também um espírito que não se deixa atrelar a uma carroça como um cavalo manso; com demasiada frequência ele tem o caráter de um ser elementar que ou permanece numa letargia plúmbea ou perturba e confunde com sua exuberância flamejante ou então nos leva consigo voando com o vento. Aqui é necessária uma conduta rigorosa e implacável, que doma o que é volúvel e sem direção e força à obediência e ao trabalho consequente.

De qualquer forma, para a grande parte das mulheres atuais o caminho é outro, a saber, para aquelas que se acostumaram à disciplina e a uma atitude objetiva através de um curso superior, de uma atividade artística, de organização ou alguma outra atividade profissional antes mesmo que o problema do animus como tal se tornasse consciente para elas. Com a aptidão correspondente, isso é bastante possível em razão de uma identificação com o animus. Mas até onde eu pude ver, para tais mulheres ser mulher numa atividade profissional bem-sucedida acaba constituindo-se um problema. Normalmente, na forma de insatisfação, da necessidade de valores pessoais e não apenas factuais, de natureza e feminilidade em geral; muitas vezes também de forma que ela se envolve em relações difíceis sem querer, ou por acaso ou destino cai em situações tipicamente femininas nas quais ela não sabe que atitude tomar. De maneira semelhante ao homem em relação à anima, também a mulher se depara com a dificuldade de sacrificar uma condição humana de certo modo superior, uma forma qualquer de superioridade, precisando aceitar uma que é menos valorizada, a de fraca, passiva, sem objetividade e ilógica, ligada à natureza, em suma, feminina. Mas, em última instância, os diversos caminhos almejam o mesmo alvo, e seja qual for o escolhido, os perigos e as dificuldades são os mesmos. Também aquela mulher para quem o desenvolvimento espiritual e a atividade objetiva estão em segundo plano, depara-se com o perigo de ser engolida pelo animus, o que equivale a tornar-se idêntica a ele. Por isso, é da maior importância que se tenha um contrapeso que possa manter o poder do inconsciente em xeque e que mantenha o eu ligado à terra e à vida. Nós o encontramos, em primeiro lugar, por meio de uma crescente conscientização e de um constante e fortalecido sentimento da própria individualidade; em segundo lugar, através de um trabalho no qual as energias espirituais possam ser aplicadas e, em terceiro – *last not least* –, na relação com outras pessoas, que constitui o apoio e o ponto de orientação do humano diante do sobre-humano ou do extra-humano do animus. Aqui a *relação de mulher para mulher* também assume grande significado. Pude observar como muitas mulheres, paralelamente ao problema do animus que se tornava agudo, começavam a se interessar cada vez mais por mulheres e sentiam que o relacionamento com mulheres tornava-se uma necessidade sempre crescente. Talvez este seja o começo da solidariedade feminina, cuja falta é tão sentida, e que somente se tornará possível por meio da conscientização de um perigo presente para todas. Aprender a valorizar e acentuar os valores femininos é a condição prévia para que nós como *nós mesmas* possamos resistir ao poderoso princípio masculino em seus dois aspectos, interno e externo, que quando consegue o domínio absoluto ameaça o campo primordialmente próprio da mulher, a área em que ela pode produzir o que tem de mais próprio e melhor, colocando em perigo sua própria vida.

Quando se consegue se diferenciar do animus e se afirmar em relação a ele, em vez de se deixar devorar por ele, então o animus deixará de representar apenas um perigo, tornando-se ao contrário uma energia criativa; e nós precisamos dela pois, por mais estranho que isso possa parecer, somente incorporando esse ser masculino da alma, para que ele aí exerça a função que lhe cabe, será possível ser realmente mulher no seu sentido mais elevado e, já que ao mesmo tempo somos autênticas, cumprir nosso próprio destino humano.

A ANIMA COMO SER NATURAL

[Publicado em: *Studien zur Analytischen Psychologie C. G. Jungs*. Publicação comemorativa ao 80º aniversário de C. G. Jung. Vol. II: Beiträge zur Kulturgeschichte. Publicado pelo Instituto C. G. Jung, Zurique, Rascher, Zurique, 1955.]

A representação dos seres elementares que habitam a água, o ar, a terra, o fogo, os animais e as plantas é antiquíssima e difundida em todo o planeta, como testemunham a mitologia e os contos de fadas, o folclore e a poesia. Estes não apenas apresentam uma surpreendente semelhança entre si, mas também com as figuras dos sonhos e fantasias do homem moderno; conclui-se daí que essas representações devem ter por base fatores mais ou menos constantes para que se expressem sempre e por toda parte de maneira semelhante.

Como demonstrou a pesquisa da psicologia profunda, as imagens e figuras que geram a capacidade da psique de criar espontaneamente mitos atuantes deve ser entendida não apenas como cópias e transposições de aparições externas, mas também como expressão de realidades psíquicas internas, de forma que elas possam ser vistas como uma espécie de autorrepresentação da psique. É natural, portanto, que se aplique esse ponto de vista às representações mencionadas acima. A seguir, investigaremos se e como a figura da anima se encaixa nisso. Não me é possível expor aqui um panorama completo do assunto; eu apenas introduzo alguns exemplos típicos, e mesmo assim só examinarei mais pormenorizadamente aquelas características que parecerem mais importantes para o meu questionamento. Dos incontáveis seres da natureza, tais como gigantes, anões, elfos etc., eu só levei em consideração algumas devido ao seu sexo feminino e que, estando relacionadas com um homem, podiam ser consideradas personificações da anima. Sabe-se que esta representa o componente feminino da personalidade do homem, mas ao mesmo tempo a imagem do ser feminino que este de modo geral traz em si; em outras palavras, o arquétipo do feminino.

É preciso que seja possível reconhecer traços nitidamente femininos nas formas em que a figura da anima pode ser considerada. A estas dedicaremos especial atenção na esperança de, por meio delas, atingir uma visão aprofundada da natureza da anima. Dentre todos os seres levados em conta para tal consideração, os mais apropriados são aqueles conhecidos de várias lendas e contos de fadas, tais como ninfas, virgens transformadas em cisnes, ondinas e fadas. Normalmente, elas são de uma beleza arrebatadora, mas apenas meio humanas, tendo um rabo de peixe, como as sereias, ou metamorfoseando-se em ave, como as que se transformam em cisnes. Elas com frequência surgem de forma múltipla, especialmente em número de três, assim como o animus indiferenciado também gosta de aparecer de forma múltipla.

Esses seres, ou por serem provocantes ou pelo seu canto, atraem o homem a seu reino (sereias, Loreley etc.), onde ele desaparece para sempre; ou então, o que é um traço muito significativo, elas procuram prender o homem pelo amor para viver com ele em seu mundo. Mas elas sempre estão ligadas a algo sinistro, a um tabu que não pode ser ultrapassado.

Uma figura primordial, quase mística a ser mencionada é a da virgem que se transforma em cisne. Ela goza de grande antiguidade e está difundida em todo o mundo. Muito provavelmente, a versão literária mais antiga desse motivo é a narração do *Pururavas* e do *Urvaśi*, transmitida por um dos mais antigos textos védicos, o *Rig Veda,*[1] e de forma mais extensa e clara no *Satapathabrâmana,*[2] que eu reproduzo aqui de forma algo abreviada:

A ninfa (Apsaras)[3] Urvaśi amava Pururavas. Ela casou-se com ele sob a condição de que ele a abraçasse três vezes por dia, mas nunca tivesse relações com ela contra sua vontade e jamais aparecesse nu diante dela. Depois de ter vivido com ele muitos anos, ela ficou grávida. Então os gandarvos acharam que Urvaśi já havia permanecido por tempo suficiente entre os homens e puseram-se a pensar numa maneira de provocar seu retorno. Ora, havia uma ovelha com dois filhotes presa ao leito de Urvaśi; os gandarvos roubaram-nos durante a noite. “Eles roubaram os meus queridos”, queixou-se ela, “como se não houvesse um homem ou um herói a meu lado!” Quando Pururavas ouviu isso, pulou da cama nu como estava para perseguir os ladrões. Nesse instante os gandarvos produziram um raio, de forma que Urvaśi viu seu marido como se fosse dia claro. Com isso, portanto, uma das condições estabelecidas por ela foi desobedecida, e em consequência, quando Pururavas retornou, ela havia desaparecido.

Desesperado, ele passou a percorrer o país na esperança de reencontrar Urvaśi. Um dia ele chegou a um lago de lótus no qual aves aquáticas nadavam. Tratava-se entretanto de Apsaras, e aquela que ele procurava encontrava-se entre elas. Ao ver Pururava, ela se mostrou a ele em forma humana; ele então a reconheceu e implorou-lhe para que lhe falasse: "Fique, cruel, e conversemos. Segredos não revelados não nos trarão alegria alguma". Ela respondeu: "O que tenho eu para conversar com você? Eu me desvaneci como a aurora e sou tão difícil de agarrar como o vento. Volte para casa, Pururavas; você não fez nada do que eu mandei; para você eu sou muito difícil de agarrar, volte para casa". Pururavas: "Então seu amigo irá embora, para longe e para nunca mais voltar; ele saltará para a morte, ou os lobos selvagens o devorarão". Urvaśi, a isso, respondeu: "Não tenha pressa, não morra, não deixe que os lobos selvagens o devorem. Não fique tão preocupado! Não existe nenhum tipo de amizade com mulheres, o coração delas é como o das hienas. Não fique perturbado e volte para casa. Enquanto caminhei entre os mortais, eu comia diariamente um pouquinho de gordura dos sacrifícios, e agora eu estou cheia".

Ela entretanto teve compaixão e disse a ele que retornasse em um ano. Então ela seria dele por uma noite, e então também nasceria o seu filho. Quando, decorrido o prazo estabelecido, ele voltou ao mesmo lugar, havia lá um palácio dourado. Ordenaram-lhe que entrasse, e sua esposa foi levada até ele. Na manhã seguinte, os gandarvos permitiram-lhe concretizar um desejo e, seguindo o conselho de Urvaśi, ele pediu permissão para tornar-se um deles, o que lhe foi concedido. Para que isso pudesse acontecer, ele teria antes que trazer uma oferenda. Para esse fim os gandarvos lhe deram uma panela com fogo. Ele a tomou, e também a seu filho, que no entretempo havia nascido, levando-o à sua aldeia. Ele então saiu em busca da madeira apropriada para o fogo sacrificial e, depois de tê-lo acendido segundo a maneira prescrita pelos gandarvos, tornou-se um deles.

Essa lenda antiquíssima já denuncia alguns traços típicos, que se repetem também nas versões posteriores surgidas em outros lugares. Um desses traços é que a ligação com um desses seres está atada a uma condição específica, cujo não cumprimento tem consequências fatais. A de nossa narrativa é a de que Pururava não podia ser visto nu por Urvaśi. Proibição semelhante pode ser encontrada na famosa história de Amor e Psiquê,[4] só que lá é ao contrário, já que é a Psiquê que a visão de seu marido *divino* está proibida, enquanto Urvaśi não quer ver o *homem* Pururava nu, isto é, como ele é. A desobediência à proibição, ainda que não intencional, tem por consequência o retorno da ninfa ao seu elemento. Quando ela diz que está cheia da pouca gordura sacrificial que ela comeu durante o tempo em que esteve com Pururava, parece querer dizer com isso que a realidade humana não a agrada, e quando retorna a seu mundo traz também o marido atrás de si. Fala-se entretanto de um filho, que a desaparecida Urvaśi deu à luz, e que Pururava leva para casa, de forma que aparentemente de sua ligação criou-se algo que tem seu lugar no âmbito humano, mas não se fica sabendo nada mais a respeito.[5]

Na relação entre Pururava e a ninfa celeste chama especialmente a atenção a diferença de seu comportamento: enquanto ele se queixa da perda da amada com sentimentos humanos, procura encontrá-la de novo, quer falar com ela, pelas palavras dela fala o ser da natureza, sem alma, que julga a si mesmo quando diz que as mulheres têm coração de hiena. No que se refere ao significado da mulher-cisne, a escola que concebia as imagens da mitologia como personificação de forças e fenômenos da natureza via nela a névoa que flutua acima da água que, elevando-se, transforma-se em nuvens que então, como cisnes em voo, cortam o céu. Mesmo quando se considera essas figuras do ponto de vista psicológico, a comparação com névoa e nuvens não deixa de ser apropriada, pois os assim chamados conteúdos inconscientes, até onde não são ou quase não são conscientes, não têm forma fixa definida, podendo mudar indefinidamente, passar de uma para outra e transformar-se. Elas somente se tornam claras e reconhecíveis de maneira nítida quando emergem do inconsciente e são apreendidas pela consciência; de qualquer modo, só então pode-se dizer algo definido sobre elas. Não se deve pensar que o inconsciente não passa de um espaço real com conteúdos rigidamente delimitados, quase concretos; isso é somente uma representação auxiliar, para tornar inteligível o que não é explícito. Em visões hipnogógicas ou representações de conteúdos do inconsciente, figuras semelhantes a nuvens ocorrem com frequência como estágio inicial de algo que mais tarde assume forma definida. Goethe alude a algo semelhante quando deixa que Mefisto, em sua descrição do Reino da Mãe, diga a Fausto:

Foge do que surgiu
Da riqueza de imagens desfeitas!
Diverte-te com o que já não existe,
Como os cortejos de nuvens que o movimento desfaz;
Agita a chave, mantém-na a distância.

Do que está dito acima, pode-se muito bem concluir que o feminino representado pela ninfa Urvaśi é ainda totalmente nebuloso e incorpóreo, já que viveu por longo tempo no âmbito humano, isto é, na consciência desperta, e poderia ter se realizado. Em suas palavras: "Desapareci como a aurora e sou difícil de agarrar como o vento", é sugerida igualmente a natureza insubstancial, aérea, do seu ser; este corresponde, na verdade, a um espírito da natureza, dando aqui no entanto a impressão de uma irrealidade onírica.

A lenda irlandesa "O Sonho de Oenghus",[6] atribuída ao século VIII, tem um caráter muito semelhante:

Oenghus, ele mesmo pertencente a uma raça mítica, viu em sonho uma menina de extraordinária beleza entrar em seus aposentos; mas quando ele tentou segurá-la pela mão, ela desapareceu. Na noite seguinte a menina voltou, dessa vez com uma harpa, na qual tocou para ele da maneira mais prodigiosa. E assim se passou todo um ano, e Oenghus ficou doente de saudade. Um médico conhecia seu mal, e por isso a menina foi procurada por todo o país, já que – segundo a declaração do médico – estava destinada a Oenghus. Por fim, constatou-se que ela era a filha de um rei dos Elfos e que tinha o costume de se transformar num cisne a cada dois anos. Para encontrá-la,

Oenghus tinha de estar em certo lago num dia determinado. Quando chegou lá, ele viu três vezes cinquenta cisnes sobre a água, ligados em pares por correntes de prata. Oenghus chamou pelo nome da amada de seus sonhos, que o reconheceu e estava disposta a chegar à margem se ele prometesse deixá-la retornar à água. Ele assentiu, e ela foi até ele; os dois se abraçaram e adormeceram sob a forma de dois cisnes. Eles nadaram três vezes ao redor do lago para que assim a condição imposta por ela se cumprisse, e então voaram (para a casa do pai de Oenghus), e lá cantaram tão maravilhosamente que todos os que os escutaram caíram num sono demorado que durou três dias. A partir de então, a mulher-cisne ficou com Oenghus.

Nessa narrativa, o caráter onírico está expresso de maneira especialmente clara. A circunstância de que a amada ainda desconhecida dele aparece pela primeira vez durante o sono, que ela, como está dito de maneira expressiva, *está destinada* a ele e que sem ela Oenghus não pode viver indica, sem dúvida alguma, a anima – como sua outra metade. Ele a conquista ao cumprir a condição imposta por ela deixando-a voltar à água ao menos por um certo tempo, transformando-se ele mesmo em cisne. Em outras palavras: ele tenta encontrá-la no elemento dela, no seu nível, com o que ela se torna sua de modo permanente, um comportamento a ser comprovado também na relação com a anima. O canto encantador dos dois cisnes é a expressão de que os dois seres opostos e que, entretanto, pertencem um ao outro foram unidos numa consonância harmônica, formando uma unidade.

Uma forma mítico-arcaica muito diferente da mulher-cisne é a *Valquíria* nórdica. Esta tem esse nome porque, estando a serviço de Odin, acolhe os guerreiros caídos em batalha para levá-los ao Walhalla.[7] Entretanto, sua função é também a de conceder a vitória ou a derrota, com o que fica claro um parentesco com as Nornas, que tecem e cortam o fio do destino. Quando no Walhalla passa o chifre onde se bebe ao herói, cumpre por outro lado sua função usual de servidora. Entretanto, oferecer uma bebida é ao mesmo tempo um gesto significativo, que expressa relação e solidariedade, e encontra-se frequentemente o motivo em que uma figura de anima oferece ao homem uma taça, seja com uma bebida de amor, de encantamento, de metamorfose ou de morte. As Valquírias são chamadas também de moças de desejo (*Wunsch-mädchen*).[8] Às vezes, como Brünhilde, elas são amantes ou esposas de grandes heróis, a quem protegem e ajudam durante a batalha.

Nesses seres semidivinos pode-se muito bem visualizar uma forma arquetípica da anima, e justamente uma anima que corresponde a um homem selvagem e amante da luta. Diz-se também portanto das Valquírias que sua grande paixão é a luta. Elas ao mesmo tempo, como é o caso também com a anima, personificam o desejo e a ambição do homem, e até onde esta está voltada para a luta, aquilo que nele é feminino surge sempre em uma forma guerreira. Normalmente as Valquírias são pensadas como amazonas, mas elas também podem "cortar o ar e a água" e assumir a forma de cisne.[9]

Uma das mais antigas canções do *Edda*,[10] a *canção de Wölund* (Wieland) é introduzida por um motivo de mulher-cisne:

Do sul voavam moças
Pela floresta de Myrkwid
As mulheres-cisne
Incitando à batalha;
Para descansar
Elas pousaram na praia
Tecendo para os filhos do sul
Linhos preciosos.[11]

A canção na verdade não o diz, mas apenas dá a entender que Wölund e seus irmãos, como acontece em outras narrativas semelhantes, roubaram as roupas de cisne das moças, de forma que elas tiveram que ficar com eles. Cada um dos três irmãos tomou uma moça para si e

Assim pousadas elas
Passaram sete invernos
Mas o oitavo
Viveram com saudade.
No nono, porém,
A necessidade as separou.
As moças desejavam
Voar por Myrkwid,
As mulheres-cisne
Queriam incitar à batalha.

E elas voaram para longe, seguidas por dois dos irmãos, que queriam procurar as desaparecidas, enquanto Wölund, fundindo anéis de ouro, ficou esperando pelo retorno dos seus.

A continuação da canção não diz mais nada a respeito, decorrendo numa outra linha narrativa.

É notável aqui que as moças sintam uma irresistível saudade da luta e, ao voar para longe, atraiam os irmãos atrás de si. Em linguagem psicológica, diríamos que a saudade, o desejo de novos empreendimentos, torna-se perceptível primeiro no feminino-inconsciente. Antes de chegar claramente à consciência, o desejo de algo novo, de outra coisa, manifesta-se em geral na forma de um movimento da alma, como emoção abafada e uma disposição inexplicável. Quando estas, como na canção de Wieland e em muitas outras lendas, ganham expressão através de um ser feminino, isso quer dizer que os movimentos emocionais que ocorrem no inconsciente são transmitidos à consciência pela feminilidade do homem, pela anima, que as percebe.

O processo provoca um impulso ou equivale a uma intuição, que descobre novas possibilidades e leva o homem a segui-las e compreendê-las. Quando a mulher-cisne deseja incitar à batalha, ela com isso desempenha o papel característico para a anima de *femme inspiratrice* – no entanto, num estágio primitivo, em que a "obra" à qual o homem é inspirado é principalmente a luta.

Na poesia cortesã da Idade Média, gosta-se de se representar a mulher nesse papel, mas de uma maneira mais refinada: o cavaleiro luta no torneio por sua dama – ele usa um símbolo dela, por exemplo, um lenço em seu elmo –, sua presença o excita e aumenta a sua coragem, ela lhe entrega o prêmio da vitória, que muitas vezes consiste em seu amor. Mas frequentemente ela, de maneira sinistra, exige de seu cavaleiro tarefas sem sentido ou sobrenaturais como prova de sua devoção.[12]

Diz-se que o conde Guilherme IX de Poitiers, que tem fama de ter sido o primeiro *troubadour*, mandou que pintassem o retrato de sua amada em seu escudo. É interessante acompanhar exatamente nessa literatura como a inspiração aos poucos vai se relacionando com outras coisas além da luta.

O nome *Senhora Aventiure* mostra, de qualquer forma, que a propriedade tão masculina do *desejo de aventuras* era personificada como um ser feminino.

Outra particularidade da mulher-cisne é a de ser *anunciadora do futuro*.[13] Ao decidir a sorte da batalha,[14] preparando assim o destino vindouro, as Valquírias são iguais às Nornas. Estas por sua vez – seus nomes são Urd, Werdandi e Skuld – aparecem como personificação do processo natural da vida, de ser e perecer.

Na área céltica, o mesmo caráter, bem conhecido também dos contos de fadas, é atribuído justamente a elas, as fadas, cujo nome relaciona-se com *fatum*,[15] e que da mesma forma costumam aparecer em número de três. É muito frequente que o bem realizado pelas duas primeiras seja mais uma vez anulado pela terceira, um traço que igualmente lembra as Nornas ou as Parcas.

A canção dos Nibelungos[16] conta como os Nibelungos, que viajavam para encontrar-se com o rei Etzel, chegaram ao Danúbio com suas águas agitadas, e Hagen se adiantou para procurar um ponto em que pudessem atravessar. Lá ele ouviu um burburinho na água, e ao aproximar-se viu "*wîsiu wîp*" (mulheres sábias), que se banhavam em uma bela fonte natural. Ele rastejou até lá, apanhou suas roupas e as escondeu. Se ele as devolvesse, disse então uma das mulheres, elas o informariam sobre o que aconteceria a eles durante a viagem.

> Elas nadavam como as aves flutuando sobre a corrente.
> E então o que elas lhe contaram deixou-o contente:
> Porque ele acreditou de fato no que elas estavam lhe dizendo.[17]

Aqui também as mulheres sábias semelhantes a aves aquáticas surgem como anunciadoras de acontecimentos futuros.

Sabe-se que os povos germânicos atribuíam à mulher o dom da predição, graças ao que ela era tida em grande estima, até mesmo adorada. O próprio Odin deixou que uma vidente, Vala, lhe anunciasse o futuro. Tácito[18] menciona uma adivinha, Veleda, que gozava de grande autoridade em sua tribo, os bructeros, e que sob Vespasiano foi levada a Roma como prisioneira, e Júlio César conta que entre os germanos era costume "*ut matres familias eorum sortibus et vaticinationibus declararent, utrum proelium committi ex usu esset, nec ne*".[19]

Entre os gregos e romanos, a Pítia e as Sibilas desempenhavam essa função.

Parece que tais concepções perduraram por longo tempo, como se depreende de uma história sobre Carlos Magno, narrada por Grimm[20] segundo um manuscrito de Leyden do século XIII. A lenda pretende esclarecer o nome da cidade de Aachen.[21] Ela diz que Carlos mantinha lá uma mulher, "*quandam mulierem fatatam, sive quandam fatam, que alio nomine nimpha, vel dea, vel adriades (dryas) appelatur*",[22] mantinha relações com ele, e ela vivia quando ele estava com ela, e morria quando ele dela se afastava. Um dia, quando ele se deleitava com ela, um raio de sol caiu em sua boca, e Carlos viu então que sobre sua língua havia um grão dourado. Ele mandou que este fosse retirado, com o que a ninfa morreu e não mais retornou à vida.

Essa ninfa lembra a misteriosa Aelia Laelia Crispis, de que C. G. Jung tratou em seu ensaio intitulado "O Enigma de Bolonha".[23]

Quando nos perguntamos por que é que o dom da visão e a arte da adivinhação são atribuídos sobretudo à mulher, pode-se responder que esta em geral está mais aberta em relação ao inconsciente que o homem. Receptividade é uma atitude feminina, e exige estar-se aberto e vazio, e por isso Jung[24] a qualifica como o maior segredo do feminino. Além disso, a mentalidade feminina é menos avessa ao irracional que a consciência racionalmente orientada do homem, que tem a tendência de negar tudo o que não é razoável, e que por essa razão com frequência se fecha ao inconsciente. Platão,[25] no *Fedro*, já criticava o posicionamento excessivamente racional – sobretudo em se tratando de amor – e valoriza o irracional, sim, a *loucura*, até onde esta possa ser um dom divino. Ele menciona várias de suas formas:

1. A sabedoria oracular transmitida pela *Pítia*, que por exemplo dava conselhos para o bem do Estado. Além disso, ele observa: "Pois a pitonisa em Delfos e as sacerdotisas em Dodona prestaram a nossa Hélade muitos e

belos serviços em ocasiões especiais e públicas em estado de loucura, mas, em estado consciente, nenhum ou quase nenhum serviço".

2. O dom profético das Sibilas, que previam o futuro.
3. O *enthousiasmos* despertado pelas Musas.

Pítia, Sibilas e Musas são seres femininos que podem ser colocados lado a lado com as videntes nórdicas mencionadas acima, e suas declarações são de um tipo irracional, razão pela qual parece loucura quando encaradas sob o ponto de vista da razão ou do logos. Essas aptidões não são próprias apenas das mulheres; sempre existiram videntes e profetas homens, mas eles o são em virtude de uma atitude feminino-receptiva, que os torna receptivos a inspirações originadas além da consciência.

A anima, sendo o feminino no homem, possui justamente essa receptividade e falta de preconceito em relação ao irracional, e por essa razão ela é qualificada de mensageira entre o inconsciente e a consciência. Esse comportamento feminino desempenha um papel importante sobretudo em homens criativos; não é à toa que se fala da *concepção* de uma obra, de seu *nascimento* ou da *gestação* de um pensamento.

O motivo da mulher-cisne surge ainda em inúmeros contos de fadas.[26] Introduzimos um deles aqui como exemplo, "O caçador e a mulher-cisne". Conta-se que um guarda-caça, ao seguir o rastro de uma corça, chegou a um lago justamente quando três cisnes nele pousavam. Logo em seguida eram três moças que se banhavam no lago. Algum tempo depois elas se ergueram novamente da água e, como cisnes, voaram para longe. As moças não lhe saíam da cabeça, e ele decidiu casar-se com uma delas. E assim três dias depois ele voltou ao lago e encontrou lá as banhistas. Sorrateiramente, ele rastejou até lá, apanhou a roupa de cisne da mais jovem e levou a roupa consigo. Ela suplicou para que a devolvesse, mas ele se fez de surdo e levou a roupa consigo para casa, e a moça teve que segui-lo até lá. Ela foi bem recebida pela gente do guarda-caça e consentiu em casar-se com ele. Mas a roupa de cisne este a deu à sua mãe, que a guardou em uma arca. Após terem vivido felizes um com o outro por muitos anos, um dia, arrumando a casa, a mãe encontrou a pequena arca e a abriu. Assim que a jovem mulher viu sua roupa de cisne, atirou-se rapidamente sobre ela e dizendo: "Quem quiser me ver de novo terá que ir até a montanha de vidro, que se encontra no campo branco",[27] levantou voo e foi embora. Desolado, o caçador passou a procurá-la, e após vencer muitas dificuldades encontrou-a graças à ajuda de animais prestativos, libertando-a, já que, como descobriu, ela era uma princesa encantada.

Reproduzi este conto mais ou menos extensivamente porque ele contém um motivo novo e muito importante, aquele da *salvação*. A circunstância da necessidade de salvação relativa ao fato de estar encantado ou enfeitiçado indica que a figura do cisne não é um estado original, tendo surgido secundariamente, como uma roupa que oculta uma princesa. Por trás da forma animal, oculta-se portanto um ser superior que vale a pena salvar e que, no fim, se une ao herói.

A princesa a ser salva, que aparece em tantos contos de fadas, indica nitidamente a anima. Quando, no entanto, o conto dá a entender que a princesa estava lá antes do cisne, alude-se com isso a um estado original anterior de unidade e totalidade que foi suspenso por meio de um "encantamento" e precisa ser restabelecido. A concepção de que um estado original de perfeição foi destruído, ou pelo comportamento culposo da pessoa ou devido à inveja dos deuses, é uma ideia antiquíssima, que está na base de muitas religiões e sistemas filosóficos. O pecado original bíblico, o ser primordial inicialmente uno e depois dividido em duas metades de Platão e, mais distante, a sophia da gnosis contida na matéria são testemunhos disso.

Expresso psicologicamente, seria o seguinte: a totalidade original que ainda é própria da criança é destruída ou danificada pelas exigências da vida e pelo crescente desenvolvimento da consciência. Assim, por exemplo, durante o desenvolvimento da consciência do eu masculina, o lado feminino é deixado para trás, permanecendo assim num "estado natural". O mesmo acontece com a diferenciação das funções psicológicas; a assim chamada função inferior ficou para trás e, consequentemente, indiferenciada e inconsciente. Por isso ela também está usualmente ligada à sempre inconsciente anima. A salvação consiste no reconhecimento e integração desses elementos inconscientes da alma.

O conto de fadas "O véu roubado"[28] apresenta o material numa versão nova, do período romântico, e está localizado no assim chamado Campo dos Cisnes, nas Montanhas de Bronze, onde haveria uma fonte que conferiria beleza a quem nela se banhasse.[29] O conto contém os traços típicos já mencionados, só que aqui, em vez da roupa de cisne, é o véu (e um anel) da banhista que é furtado, com o que ela é obrigada a ficar. O cavaleiro a leva consigo para casa, onde o casamento deve ser celebrado; ele também tem uma mãe a quem dá o véu para que o guarde. Quando, no dia do casamento, a noiva lamenta não o ter consigo, a mãe o traz, e ao colocar o véu e a coroa sobre a cabeça, a noiva imediatamente transforma-se em cisne e foge voando pela janela. O conto é por demais longo para que entremos em mais detalhes aqui – somente que nele também se dá a entender que mais uma vez é a mãe do homem que aparentemente, com boas intenções, devolve a roupa de cisne à noiva, provocando assim sua partida.

Quando a separação do casal é provocada pela maneira de agir da mãe, pode-se inferir daí uma rivalidade velada entre mãe e anima, caso encontrado com muita frequência na realidade. Por outro lado, esse traço poderia também ser entendido como uma tendência da "Grande Mãe", isto é, o inconsciente, de chamar de volta para si aqueles que lhe pertencem. A ascendência real da mulher-cisne sugerida pela coroa caracteriza-a como um ser de um tipo superior, o que deve ser relacionado com o aspecto *sobre-humano*, divino, da anima. Em muitos contos de fadas é mais natural compreender a figura da princesa encantada a partir da psicologia feminina; nesse caso, ela é representada pela personalidade superior da mulher ou pelo seu próprio *self*.[30]

Também a figura da ave, como uma criatura do ar, simboliza não apenas aquilo que o ser natural tem de semelhante aos animais, mas contém, além disso, uma alusão às suas possibilidades espirituais latentes.

Um ser elementar que goza de uma popularidade e longevidade muito especiais é a *ninfa*, de que trataram contos de fadas, lendas e canções populares de todas as épocas, e cuja figura conhecemos por meio de incontáveis reproduções. Ela ainda serve de tema[31] a poetas modernos e aparece com frequência em sonhos e fantasias.

Uma denominação antiga desses seres aquáticos de que gostavam muito os poetas do século XIII é *Merminne*[32] ou *Merfei*. Devido aos dons que, como as mulheres-cisne, possuem, tais como adivinhação e seu conhecimento das coisas naturais, elas também são chamadas de *wîsiu wîp*. Em geral, no entanto, ao lado dessa espécie, outros elementos, como veremos, aparecem mais em primeiro plano, principalmente o de Eros. Este encontra-se em consonância com aquele fenômeno de época conhecido como amor cavalheiresco. Ele foi a expressão de uma nova atitude em relação à mulher e a Eros que se iniciava na época, isto é, nos séculos XII e XIII, e constitui a contrapartida cavalheiresca ao cultivo do logos praticado nos mosteiros. Esta maior valorização da mulher não podia ser causada em última análise por uma evidência mais nítida da anima e por uma atividade mais acentuada da mesma, o que a poesia dessa época parece comprovar.[33]

Como essencialmente feminina, a anima, como a mulher, é determinada de maneira preponderante por Eros, isto é, pelo princípio da *ligação*, da *relação*, enquanto o homem em geral deve mais ao *princípio do logos*, que diferencia e ordena, ou seja, à razão.

E assim as *Merminne* e suas companheiras sempre mantêm uma relação amorosa com um homem ou tentam criar uma, o que aliás constitui uma das ânsias femininas fundamentais. Desse ponto de vista, elas se diferenciam das mulheres-cisne, que quase sempre não procuram a relação por si mesmas, mas que caem em poder do homem por meio do roubo de sua roupa de plumas, ou seja, pela astúcia. Elas depois ambicionavam fugir à primeira oportunidade. Relações desse tipo são preponderantemente de natureza impulsiva e sente-se a falta do elemento anímico ou de um sentido que ultrapasse o instintivo. Dada a circunstância de que o homem domina a mulher de forma mais ou menos violenta, sobressai um estágio totalmente primitivo de seu comportamento erótico. Não é, portanto, sem fundamento quando o ser natural a ele ligado exige que o homem não lhe faça nenhuma violência, não lhe bata ou não recrimine com palavras contundentes.

Lendas de fadas aquáticas e de ninfas estão largamente difundidas, sobretudo nas regiões com populações célticas. Em muitos lugares, sobretudo no País de Gales, na Escócia e na Irlanda, elas estão ligadas a determinadas localidades e famílias e em parte permaneceram vivas até os tempos mais recentes.

Como um exemplo dentre muitos, cito aqui uma dessas lendas do País de Gales, que foi anotada por John Rhys,[34] um conhecido colecionador e conhecedor do folclore celta.

Os acontecimentos descritos teriam ocorrido por volta do final do século XII numa aldeia de Caermarthenshire, no País de Gales. Lá vivia uma viúva com seu filho. Quando este uma vez tomava conta do gado nas montanhas, chegou a um lago onde, para seu espanto, viu uma moça de incomparável beleza sentada sobre a superfície da água. Ela estava ocupada em pentear o cabelo encaracolado com um pente, e a água lhe servia de espelho. De repente, ela viu o rapaz, que a olhava fixamente e que, para atraí-la à margem, estendeu-lhe um pedaço de pão. Ela se aproximou dele, mas, recusando o pão por ser muito duro, mergulhou quando ele tentou agarrá-la. Decepcionado, ele voltou para casa, mas mesmo assim retornou ao lago no dia seguinte. Dessa vez, seguindo o conselho de sua mãe, ele ofereceu pão sem assar à moça, mas ainda assim sem sucesso. Somente quando, no terceiro dia, ele tentou com pão meio assado a moça se mostrou disposta a aceitá-lo e até mesmo o estimulou a segurar-lhe a mão. Após alguma conversa, ela consentiu em tornar-se sua mulher, acrescentando no entanto que, se ele batesse nela três vezes sem motivos, ela o deixaria para sempre. Ele mais que depressa aceitou essa condição, com o que ela tornou a desaparecer na água. Logo em seguida emergiram duas moças belíssimas acompanhando um imponente homem grisalho que se apresentou como o pai da noiva e lhe disse que concordava com o enlace, desde que ele escolhesse entre as duas a moça correta. Isso não era assim tão fácil, pois elas pareciam ser perfeitamente iguais, mas ele afinal reconheceu sua amada pela maneira como esta havia atado as sandálias. Como dote, o pai prometeu a ela tantas vacas, cabras e cavalos quantos ela pudesse contar de um só fôlego, e quando ela o fez, os animais surgiram da água. O casal então estabeleceu seu lar numa fazenda vizinha, onde eles viveram felizes e em boa situação, e tiveram três filhos. Um dia, eles foram convidados para um batizado. A mulher não tinha vontade alguma de ir, mas a vontade do homem prevaleceu. Como ela hesitasse em ir buscar o cavalo no pasto, ele golpeou-lhe levemente o ombro com as luvas, ao que ela replicou lembrando-lhe do acordo que haviam feito.

Em outra oportunidade, quando deviam participar de um casamento, ela apareceu em lágrimas em meio aos felizes convidados. Quando o homem, dando-lhe tapinhas nos ombros, perguntou-lhe pelo motivo, ela respondeu: "Agora é que começam as dificuldades para este casal, e para você também, pois esta já é a segunda vez que me bate". Algum tempo depois, aconteceu de eles estarem em um enterro e de ela, ao contrário do luto geral, ser acometida de um desmedido acesso de riso, o que sem dúvida foi penoso para o seu marido, de forma que ele lhe bateu e a advertiu para que não risse daquela maneira. Ela disse que tinha rido porque as pessoas, quando morrem, naturalmente se livram de suas preocupações e, levantando-se, deixou a casa com as palavras: "Essa foi a última pancada; nosso contrato terminou. Adeus!".

Após ter reunido seus animais no pátio, ela retornou ao lago e, com todo o rebanho, desapareceu em suas águas.

A história não diz o que aconteceu ao inconsolável marido, mas, quanto aos filhos, diz que eles iam com frequência à margem do lago e que muitas vezes sua mãe se mostrava a eles lá. E ela chegou até mesmo a participar a seu filho mais velho que ele estava destinado a ser um benfeitor da humanidade, já que iria curar doenças. Para esse fim, ela deu ao filho um saco com instruções medicinais e prometeu aparecer sempre que ele precisasse de seus conselhos. De fato, ela apareceu muitas vezes e instruiu seu filho sobre as plantas medicinais e seus poderes, de forma que este, por meio de seus conhecimentos e da arte da cura, alcançou grande renome.

Os últimos descendentes dessa família de médicos teriam morrido em 1719 e 1739.

Nessa história trata-se, portanto, não apenas de uma relação instintivo-erótica, mas aqui a mulher aquática traz ao homem prosperidade e transmite ao filho conhecimentos sobre plantas medicinais, conhecimentos que ela evidentemente deve à sua íntima ligação com a natureza.

Rhys reproduz ainda inúmeras lendas semelhantes, que em todos os casos estão ligadas a pessoas determinadas, cuja ascendência sempre as remete a essas fadas aquáticas e que disso se orgulham. Os tabus não são sempre os mesmos; às vezes a coisa é de tal forma que o homem não pode tocar em sua mulher élfica com ferro,[35] ou que ele não pode dizer uma palavra inamistosa mais que três vezes, além de outras condições. O descumprimento das condições estipuladas ocorre sempre por desatenção ou por algum acaso fatal, nunca propositalmente.

Por mais irracionais que essas prescrições possam parecer em si mesmas, sua não observação desencadeia a reação com a lógica e a invariabilidade de uma lei da natureza. Esses seres meio humanos representam a própria natureza e não possuem a liberdade de escolha que é dada ao homem e que permite que ele às vezes se comporte de maneira diversa daquela que corresponde à lei natural. Ele pode, por exemplo, deixar-se determinar por ideias ou sentimentos que o colocam acima do comportamento puramente natural.

As três ocasiões em que a fada aquática recebe as pancadas em nossa história são elucidativas:

Na primeira tratava-se de um batizado do qual ela não tinha vontade alguma de participar, o que quer dizer que, como ser pagão, uma cerimônia cristã lhe causa repugnância. Segundo a concepção da época, os seres élficos temiam tudo o que era cristão; isso quer dizer que eles foram expulsos pela pregação dos missionários cristãos e retornaram ao interior da Terra (à assim chamada Caverna das Fadas).

Na segunda ocasião, a mulher irrompe em lágrimas durante uma comemoração festiva e na terceira ela perturba o ambiente triste com gargalhadas incontidas: ela comporta-se, assim, de maneira inconveniente. Suas manifestações não estão de acordo com a situação, ainda que pareçam plausíveis a ela mesma. Isso indica que aqui está sendo expresso algo *indiferenciado*. É sabido que os componentes da personalidade que foram reprimidos ou permaneceram inconscientes persistem numa forma primitiva, não diferenciada que, quando se manifestam tal e qual para o exterior, são inadequados. Aparições semelhantes podem ser observadas a qualquer momento, ou podemos encontrá-las pessoalmente. A ninfa, quando vive na água, isto é, no inconsciente, representa o feminino num estado semi-humano e quase inconsciente. Até o ponto em que a mesma está casada com um homem, pode-se presumir que ela representa sua anima inconsciente, natural, junto com o sentimento indiferenciado, já que as infrações cometidas por ela ocorrem no âmbito deste. De qualquer forma, deve-se notar que não se trata de um sentimento individual, mas coletivo, com o qual ela ainda não se acostumou. É um fato bem conhecido que sempre se provoca escândalo com as partes inconscientes da personalidade (anima, animus, sombra) ou com suas funções inferiores, o que tem por consequência que elas, por perturbadoras, são sempre reprimidas. O desaparecimento da ninfa em seu elemento descreve justamente aquele processo em que um conteúdo do inconsciente vem à superfície, mas está tão pouco coordenado com o eu consciente que torna a mergulhar à menor oportunidade. Que seja preciso tão pouco para que isso ocorra mostra como tais conteúdos são voláteis e frágeis.

Faz parte do mesmo contexto o fato de os seres élficos se vingarem quando desprezados ou ofendidos. Eles são extremamente sensíveis e gostam de guardar um ressentimento que não é atenuado por nenhuma espécie de compreensão humana. Essas propriedades valem também para a anima, para o animus e para as respectivas funções não diferenciadas; por outro lado, a sensibilidade desmedida de homens bastante robustos, que se encontra com frequência, é um sinal claro de que a anima está atuando. A irregularidade, as travessuras e muitas vezes a maldade declarada dos espíritos elementares, que formam o outro lado de sua beleza fascinante, podem ser constatadas também na anima. Enfim, essas criaturas são irracionais, boas e más, prestativas e perniciosas, curativas e destrutivas como a própria natureza de que são parte.[36]

Aqui, entretanto, deve-se dizer que não é apenas a anima, como o inconsciente feminino no homem, que apresenta as qualidades mencionadas; as mesmas também podem ser constatadas em muitas mulheres. Devido à sua tarefa biológica, a mulher em geral é mais natural que o homem e por isso com frequência demonstra de modo mais ou menos claro um comportamento correspondente. Então, de bom grado, a imagem da anima é projetada nessas mulheres, porque elas correspondem tão exatamente à feminilidade inconsciente do homem. Por isso esses seres também aparecem em sonhos, fantasias e imagens de mulheres, de preferência ninfas. Estas podem representar ou a feminilidade não desenvolvida, ainda natural da mulher em questão, ou sua função inferior, mas com frequência são também formas iniciais da personalidade superior ou do *self*.

Na nossa lenda, encontramos ainda um outro traço característico: trata-se do fato de a virgem aquática pentear os cabelos – como a Loreley – e ter sua imagem refletida no lago enquanto o faz. Pentear os cabelos poderia ser reconhecido sem dificuldade como um meio de atração erótica que é utilizado até hoje. O espelho faz parte dessa atividade, e os dois juntos são atributos da figura da anima utilizados com frequência na literatura e em ilustrações.[37]

O espelho como atributo da figura da anima tem ainda um outro significado. Na verdade, faz parte do seu ser que ela seja equivalente a um espelho para o homem, isto é, que como tal reflita seus pensamentos, desejos e emoções, o que já foi mencionado no contexto das Valquírias. É justamente por isso que ela se torna tão importante para o homem, seja como figura interior ou como uma mulher real, exterior, na medida em que ele pode tomar conhecimento de coisas que para si mesmo ainda não são conscientes. Muitas vezes, no entanto, essa função da anima leva não a uma maior consciência e autoconhecimento, não só simplesmente a um espelhamento de si mesmo, o qual adula a vaidade do homem, mas também a uma autocompaixão sentimental. Ambos sem dúvida aumentam o poder da anima e não deixam por isso de ser perigosos. Faz parte da natureza da mulher ser espelho do homem, e a surpreendente habilidade que ela com frequência exibe ao fazê-lo faz com que ela seja sobretudo apropriada para ser portadora de uma projeção de anima.

A bela Melusina[38] também pertence à raça das *Merfeias*. Embora a lenda tecida em torno dela seja bem conhecida, eu a menciono aqui de forma abreviada, pois ela contém alguns pontos importantes. O conteúdo é o seguinte:[39] Raymond, filho adotivo do conde de Poitiers, matou a este por uma fatalidade durante uma caçada. Inconsolável, ele quer empreender a fuga. No caminho, ele chega a uma clareira na floresta e lá vê três mulheres sentadas junto a uma fonte. Uma delas é Melusina, a quem ele lamenta seu sofrimento e que lhe dá bons conselhos. Ele arde de amor por ela, que está disposta a tornar-se sua mulher com a condição de que ele lhe permita recolher-se todos os sábados sem que ninguém a espreite. Raymond concorda e eles durante longos anos vivem felizes juntos; Melusina dá à luz muitos filhos, que, entretanto, sempre têm algo de anormal, e manda construir um magnífico palácio, que ela, segundo seu próprio nome, batiza de “Lusinia”, o que mais tarde será Lusignan. No entanto, inquieto com os rumores que correm a respeito de Melusina, seu marido um dia a espia; ele a encontra num quarto de banho e vê com horror que ela tem uma cauda de peixe ou de serpente. A princípio essa descoberta parece não ter consequência nenhuma, até que algum tempo depois chega a notícia de que um filho de Melusina ateou fogo a um mosteiro fundado por ela, ocasião em que um de seus irmãos, que era monge lá, morreu. Quando ela quis consolar o marido, ele a afastou de si com as palavras: "Vá embora, sua serpente monstruosa, que degenerou minha nobre linhagem!", o que a fez cair desmaiada ao chão. Após voltar a si, ela se despediu do marido em lágrimas, deixando as crianças a seus cuidados e, flutuando através de uma janela, desapareceu. Mais tarde ela aparecia ocasionalmente durante a noite para ver alguns de seus filhos que ainda eram pequenos, e a lenda continua ainda dizendo que ela caminha pelas proximidades do palácio lamentando-se cada vez que um membro da casa de Lusignan, cuja matriarca Melusina é considerada até hoje, vai morrer.

A condição imposta por Melusina nesse caso consiste em que ela todas as semanas possa retornar por um dia a seu elemento e assumir a forma de ninfa. Este é o seu segredo, que não deve ser divulgado. O não humano, ligado à natureza, neste caso o rabo de peixe, não deve ser visto. Não estamos longe de presumir que o banho semanal com o retorno ao estado natural a ele ligado equivale a uma *renovação da vida*. Afinal, a água é um elemento vital por excelência. Ela é imprescindível para a manutenção da vida, e fontes e banhos de cura que provocam seu restabelecimento e renovação sempre foram considerados numinosos e muitas vezes foram objeto de culto religioso.[40] Segundo um decreto do Concílio de Avignon do ano de 442, o culto de árvores, pedras e fontes e o fazer fogueiras ou acender luzes junto às mesmas foi proibido como práticas pagãs.[41] Em vez disso, em muitos lugares, em países católicos, imagens da Virgem adornadas com flores e velas são até hoje levadas às fontes como expressão cristã de um sentimento primordial ainda vivo. Um dos apelidos de Maria é *pégé* = a fonte. A qualidade numinosa da água expressa-se também na antiquíssima ideia de uma "água da vida" que possui uma energia sobrenatural, ou na *aqua permanens* dos alquimistas. As ninfas ou fadas que habitam as fontes ou suas proximidades possuem um parentesco especial com o elemento vital, sendo a água considerada como tal e, como o surgimento da vida é um mistério indecifrável, a ninfa também se presta a algo misterioso que deve permanecer oculto. Tais seres são, em certa medida, protetores das fontes; ainda hoje determinados banhos de cura possuem uma padroeira, como em Baden Santa Verena, que substituiu a ninfa pagã e que, aliás, é parente de Vênus.

Cabe à anima uma função semelhante; seu ser animado já está expresso em seu próprio nome. Por isso ela aparece com frequência em sonhos ou fantasias sob a forma de um desses seres feéricos. Assim, por exemplo, um homem jovem cuja mente é excessivamente racional e que por isso corre o risco de tornar-se rígido tem o seguinte sonho:

"Caminho por uma floresta densa, e então uma mulher coberta por um véu negro vem ao meu encontro, me toma pela mão e diz que vai me levar até a fonte da vida."

O escritor inglês William Sharp[42] (1855-1905) narra um acontecimento de infância em que certa vez uma bela mulher branca da floresta apareceu para ele num pequeno lago cercado de plátanos, e ele, criança que era, a batizou de Olhos de Estrela e mais tarde de *lady of the sea* e, portanto, ele diz: "A ela eu reconheci como a mulher que existe no coração de todas as mulheres". Com isso ela está nitidamente caracterizada como imagem primordial da feminilidade e, portanto, como forma da anima.

A anima representa a ligação com a fonte da vida que está no inconsciente. Quando não existe nenhuma ligação desse tipo, ou quando ela é interrompida, instaura-se um estado de estagnação ou de endurecimento que muitas vezes é sentido como tão perturbador que a pessoa atingida se vê levada a procurar um psicoterapeuta. Gottfried Keller descreveu esse estado de maneira muito impressionante em sua poesia:

Noite de Inverno

Nem mesmo um rumor de asas passava pelo mundo,
A neve branca continuava quieta e ofuscante.
Nem uma nuvenzinha no dossel de estrelas,
Nem uma onda no lago congelado.

Do fundo ergueu-se a árvore do lago,
Até que no gelo a copa congelou;
Por seus ramos subiu a ninfa,
Olhando através do gelo verde.

Eu estava em pé sobre o gelo fino,
Que me separava da negra profundeza;
Bem embaixo sob meus pés eu vi
A beleza branca de seus membros.

Com lamentos sufocados ela apalpava
A dura coberta, aqui e ali;
Jamais esqueço o rosto triste,
Que ficará comigo para sempre!

A ninfa presa no gelo corresponde à princesa encantada na montanha de vidro que foi mencionada acima; tanto o gelo como o vidro constituem igualmente uma couraça fria e dura que aprisiona o que está vivo e que dela precisa ser libertado.

Outro traço importante de nossa lenda deve ainda ser mencionado aqui: quando o filho de Melusina ateia fogo ao mosteiro mantido por ela, o já mencionado antagonismo entre a raça dos elfos e a cristandade expressa-se de maneira evidente. Por outro lado, esses seres, segundo várias narrativas, parecem alimentar o desejo de ser libertados.

Paracelsus,[43] que escreveu todo um tratado sobre os espíritos elementares, tais como ninfas, sílfides, pigmeus e salamandras, diz a seu respeito que eles são extremamente semelhantes às pessoas, mas não descendem de Adão e não têm alma. O povo da água é o que mais se parece com as pessoas e quase sempre se esforçam para estabelecer ligações com elas. Eles são "vistos não apenas com os olhos, mas também se casam (?), e nascem como crianças" e depois: "Ora, como foi dito a respeito das ninfas, que elas vêm a nós da água, e sentam-se às margens dos riachos, onde elas então têm sua morada, e onde elas portanto são vistas e também apanhadas, agarradas, e se casam, como foi dito acima".[44] Dessa maneira, ligando-se a um homem, elas obtêm uma alma, e também as crianças nascidas dessas ligações têm uma. "Segue daí que elas se relacionam com os homens, por eles se esforçam e se tornam caseiras. Da mesma maneira como um pagão que pede o batismo e o consegue, com o que ele conquista sua alma e torna-se vivo em Cristo."

Mais tarde, F. de la Motte Fouqué[45] retirou desses escritos de Paracelsus o material para sua *Undine*, que surgiu no início do século XIX, portanto no período romântico, quando foi revivida a ideia da animação da natureza e, ao mesmo tempo, pela primeira vez se falou do inconsciente.[46]

Nessa narrativa, a *falta de alma* da ninfa constitui o motivo central. Undine é a filha de um rei do mar que tem seus domínios no Mediterrâneo. Segundo o desejo do rei, e para que seja possível a ela conseguir uma alma, de maneira misteriosa ela é levada a um casal de pescadores que acreditavam que sua própria filha tinha se afogado e que adotam a pequena abandonada. Undine cresce e se torna uma moça adorável, mas seus pais de criação muitas vezes estranhavam sua natureza notavelmente infantil, sempre dada a travessuras.

Numa noite de tormenta, um cavaleiro que viajava procurou abrigo na cabana do pescador. A sempre tão tímida Undine aproxima-se dele meigamente, ele fica fascinado com seu encanto e com seu jeito infantil, e como um padre também fora levado a esse local pela tempestade, este os une em casamento. Mas quando Undine confessa ao marido que não tem alma, a união torna-se sinistra para este e, apesar de todo o seu amor, ele é atormentado pelo pensamento de que, no fim, havia se casado com um ser élfico. Ela lhe suplica que não a repudie, pois os seres semelhantes a ela somente conseguiam uma alma através de uma ligação amorosa com uma pessoa, e somente estipula a condição de que ele nunca lhe diga palavras ríspidas, sobretudo quando na água ou nas suas proximidades, pois então ela seria levada de volta pelos habitantes desse elemento preocupados com seu bem-estar.

O cavaleiro então a leva consigo para o seu castelo, até que a fatalidade surge na figura de uma donzela, Berthalda, que tinha esperanças de tornar-se sua mulher. Undine a acolhe amigavelmente, mas para seu marido Undine torna-se cada vez mais sinistra. Por fim, durante um passeio pelo Danúbio, ele expressa esse sentimento e a xinga de bruxa e charlatã quando ela, em vez de retirar da água o colar de Berthalda, recolhe uma corrente de coral. Após essa ofensa, banhada em lágrimas, ela atira-se pela amurada do barco e desaparece na correnteza, e ao fazê-lo ainda adverte seu marido para permanecer-lhe fiel, caso contrário os espíritos da água se vingariam.

Apesar desse aviso, após algum tempo deve ocorrer o casamento do cavaleiro com Berthalda. No dia do casamento, a noiva ordena que se busque água para o seu banho de beleza na fonte do castelo, que Undine selara para impedir o acesso dos espíritos aquáticos. Quando a pedra é retirada, ergue-se da fonte a figura de Undine coberta por um véu branco, que se aproxima do castelo chorando e mansamente bate à janela de seu marido. Pelo espelho ele vê como ela vem na sua direção e com as palavras: "Eles abriram a fonte, agora eu estou aqui, e você tem de morrer", entra em seus aposentos. Tirando o véu, ela o abraça e ele morre com esse beijo. O mesmo material foi utilizado por J. Giraudoux em seu drama *Ondine*, de onde se depreende que ele ainda não envelheceu.

O que desencadeia a catástrofe nessas versões é o conflito entre a anima-natureza e a mulher humana, que já na lenda de Siegfried desempenha um papel importante na luta entre Brünhilde, a Valquíria, e Chriemhilde, e muitas vezes também provoca grandes dificuldades na vida. No fundo, expressa-se aí a oposição entre dois mundos, o externo e o interno, ou entre a consciência e o inconsciente, e fazer a ponte entre os dois parece ser a tarefa especial da nossa época.

Outro tipo de uma tal vivência da anima é representado pela *Canção de Lanval*,[47] que faz parte do ciclo de lendas bretãs.

O cavaleiro desse nome pertence ao círculo do rei Arthur, mas lá sente-se preterido por ser menos abastado e não poder exibir nenhum tipo de luxo. Um dia ele encontra, também numa fonte, uma bela donzela que o leva à sua senhora, mais bonita ainda, que o recebe maravilhosamente e lhe dedica seu amor com a condição de que ele nunca diga uma palavra a respeito. Além disso, ela concede a ele o dom de satisfazer desejos, graças ao qual ela aparece junto a ele assim que ele a deseja. Tudo o que deseja também se realiza, de forma que ele passa a exibir cada vez mais opulência e assim ganha cada vez mais reputação. Ele passa a interessar à rainha que lhe oferece seu amor. Quando ele o recusa, ela se ofende e o pressiona tanto que ele finalmente admite ter uma amada que é ainda mais bela do que ela. Tomada pelo ódio a rainha exige que o rei reúna uma corte de justiça perante a qual Lanval tem de justificar-se por ter insultado a rainha. Para isso ele teria que apresentar a prova de que sua amada realmente era tão bela quanto ele havia dito. Ele se vê então em apuros, uma vez que não pode mais apelar àquela pois traiu o segredo do seu amor. Parece já não haver mais esperança quando, acompanhada de quatro moças encantadoras, surge sua amada com um vestido branco e um manto púrpura montada num cavalo branco magnificamente ajaezado: a beleza em pessoa. Faz-se então justiça a Lanval, pois todos têm de admitir que ele não havia exagerado. A canção termina com a fada tomando seu amado em seu cavalo e levando-o para o seu reino.[48] O *desterro no reino das Fadas* é um motivo significativo também do ponto de vista psicológico. Nas tradições celtas, esse reino não tem o caráter amedrontador e angustiante que possui em outros lugares. Ele não é o reino dos mortos, mas se chama "Terra dos Vivos" ou "País sob as ondas", e é imaginado como "ilhas verdes" que, habitadas por belos seres femininos, também são chamadas de "ilhas das moças".[49] Eternamente jovens e belos, seus habitantes usufruem das alegrias da música, da dança e do amor, de uma existência sem sofrimentos. Lá as fadas estão em casa, lá está também a famosa Morgana (fata Morgana), cujo nome quer dizer algo como "nascida no mar", e para lá elas levam seus amantes humanos. Esses Campos Elísios comparáveis aos Jardins das Hespérides é entendido psicologicamente como uma terra de sonhos, e estar nela é realmente atraente e agradável, mas não é isento de perigos. Sabe-se que a anima impera nesse reino, e leva até ele. O perigo de se mergulhar nesse mundo, isto é, no inconsciente, parece já ter sido sentido, pois em incontáveis poemas descreve-se como um cavaleiro, cativado pelos laços do amor, esquece[50] suas atividades masculino-cavaleirescas e se alheia do mundo e da realidade numa autossuficiente vida a dois com sua dama.

Um exemplo especialmente drástico desse tipo é oferecido pela lenda de *Merlin*, o mago, cuja amada, a fada Viviane, graças à magia dele que escutou às escondidas, o amarra com laços invisíveis e o bane para um espinheiro do qual ele não consegue mais se libertar.

Essa história é sobretudo elucidativa porque a figura de Merlin incorpora com muita propriedade a consciência e o pensar que faltam ao mundo humano que o cerca. Ele é um ser luciferino, semelhante a Mefistófeles, e como tal representante do intelecto *in statu nascendi*, isto é, numa forma ainda primitiva. Ele deve isso ao seu poder mágico; mas como o sexo feminino não faz caso disso, vai buscá-lo na forma de Eros e aprisiona o que se identifica com o princípio do logos, à natureza.

A *lenda de Tannhäuser*, revivida por Richard Wagner, pertence a um período posterior; provavelmente ela surgiu no século XV e no século XVI estava bastante difundida na Suíça, na Alemanha e nos Países Baixos como canção popular.[51]

> Mas agora eu vou começar
> A cantar sobre Danheuser
> E as maravilhas que fez
> Com sua mulher Venusina.[52]
>
> Danheuser era bom cavaleiro
> Quando queria ver prodígios
> Queria ir à montanha de Vênus
> Estar com belas mulheres.

Assim começa a maioria das versões da canção. Numa versão suíça (St. Gallen), uma das mais antigas, é assim:

Danheuser era bom cavaleiro
Grandes prodígios ele foi ver
Subiu à montanha de Vênus[53]
Para estar com três belas donzelas.

Elas são belas toda a semana
Enfeitadas com ouro e seda,
E joias e coroas de flores,
Aos domingos são ogres e cobras!,

com o que as habitantes da montanha de Vênus caracterizam-se como parentes da Melusina.

Eu creio poder presumir que o conteúdo da lenda é conhecido, mas gostaria, no entanto, de lembrar que após ter permanecido por longo tempo na montanha de Vênus, Tannhäuser, atormentado pelo peso de sua consciência, vai até o papa em Roma para conseguir a absolvição. Mas esta lhe é negada e apontam-lhe um bastão seco: assim como este não se torna verde, assim também ele não será absolvido de seus pecados. Ele então retorna à montanha de Vênus e lá permanece, ainda quando o papa lhe manda uma mensagem comunicando que havia acontecido um milagre e que o bastão tornara-se novamente verde. A conclusão da canção em muitas versões é a seguinte:

E assim ele voltou à montanha
E lá desfrutou seu amor
E assim o quarto papa Urbano
Também se perdeu para sempre.

Como se depreende da designação "montanha de Vênus", dá-se a entender um lugar de alegria e prazer amoroso, onde Vênus leva o cetro.[54] Ela corresponde exatamente às ilhas das moças ou caverna das fadas mencionadas acima, e as lendas a elas ligadas são bastante semelhantes umas às outras, em que sempre falam de um homem atraído a esses lugares onde é mantido por uma mulher encantadora; ele ou não pode encontrar novamente o caminho de volta ou só o faz com grande dificuldade. Um exemplo da Antiguidade é Calipso, que impediu que Ulisses saísse de sua ilha e só o libertou quando os deuses ordenaram que o fizesse. A feiticeira Circe também tem seu lugar aqui, embora ela possua um caráter muito mais bruxesco, já que transforma suas vítimas, os companheiros de Ulisses, em porcos.

Na lenda de Tannhäuser vem à luz o antagonismo entre o paganismo e a cristandade, a que já se fez alusão no conto de Melusina. O paganismo, tal como se apresentava na época do Renascimento, não era entretanto aquele dos povos nórdicos, mas o da Antiguidade. Um exemplo dessa época que se encaixa em nosso tema é a famosa *Ipnerotomachia* de Francesco Colonna, em português *O Sonho de Amor de Polifilo*,[55] onde um monge descreve como a amada de seus sonhos, a ninfa Polia, mostra-lhe uma série de imagens e cenas simbolicamente significativas da Antiguidade clássica, deixando que ele as vivencie, e finalmente o leva para Kythera (?), onde Vênus abençoa o casal.

Um trabalho importante a ser mencionado aqui e que foi preservado em dois manuscritos do século XV e publicado em 1521, é *Le Paradis de la Reyne Sibylle* de Antoine de la Sale.[56] Segundo uma tradição italiana, esse *Paraíso* estaria no Monte della Sibilla, que faz parte da cadeia dos Apeninos. O autor informa sobre as localidades por ele visitadas e sobre as tradições ligadas às mesmas. Uma caverna que se encontra na montanha era considerada a entrada do palácio da rainha Sibila, cujo reino corresponde inteiramente à montanha de Vênus. A lenda é igual à de Tannhäuser, com a diferença de que aqui os pecados do cavaleiro arrependido são perdoados. Seu escudeiro, no entanto, faz com que ele acredite que o papa não pretende realmente perdoá-lo, e quer colocá-lo na prisão; para escapar disso, os dois retornam ao paraíso da Sibila.

Que a rainha e suas donzelas às sextas-feiras, à meia-noite, se recolham a seus aposentos e lá assumam a forma de serpentes é um traço que conhecemos da lenda da Melusina. Infelizmente, o espaço de que disponho não me permite estudar esse livro de maneira mais detalhada. Como algo interessante à luz do que foi dito antes, eu gostaria apenas de destacar que nessa tradição a montanha de Vênus é idêntica à da Sibila. Segundo Desonay, ela se refere à Sibila de Cumae, a mesma que indicou a Eneias o caminho para o mundo subterrâneo, o Tártaro, ao dizer-lhe onde poderia ser encontrado o Ramo Dourado que lhe abriria as portas para lá penetrar.[57] Por último, pensou-se em uma caverna localizada nas proximidades do lago Averno; ainda hoje mostra-se nas suas proximidades uma grota da Sibila. Evidentemente, essa tradição misturou-se com a de uma caverna no Monte della Sibilla, também localizada nas proximidades de um lago, e que passava como sendo a entrada para o paraíso da rainha Sibila.[58] Há ainda mais alguma coisa além disso:

Desonay[59] expressa a suposição de que essa grota teria sido um dia dedicada à deusa-mãe Cibele, cujo culto, originado através de um versículo dos livros sibilinos, foi introduzido em Roma por volta do ano 204 a.C. e se difundiu até o norte da Itália e a Gália.[60] Como doadora de vida e deusa da fertilidade, Cibele reina sobre as águas; como mãe da montanha e senhora dos animais ela ama e domina a natureza silvestre. Ela concede o dom da profecia, mas também provoca a loucura, e seu culto orgiástico está aparentado ao de Dioniso.[61] Ela é conhecida como mãe de Atis, mas seria demasiado entrar aqui em mais detalhes sobre esse mito. Eu apenas gostaria ainda de lembrar a esse respeito que fazia parte do culto dessa deusa que seus sacerdotes se emasculassem. Como vimos, as experiências por que passam os que são mantidos no reino das fadas[62] equivale a uma castração, já que eles perdem sua masculinidade e se tornam femininos e efeminados. A grande diferença, entretanto, consiste em que eles *sucumbem* a uma sedução e *são vencidos* pela magia do feminino, enquanto, no caso dos sacerdotes de Cibele, trata-se de um *sacrifício* oferecido à deusa.

O caráter da deusa Cibele pode muito bem ser comparado ao da *Reyne Sibylle* ainda que a hipótese de Desonay mencionada acima não tenha sido provada arqueologicamente. No paraíso da Sibila, quase todos os aspectos que foram apresentados nas várias lendas das mulheres-cisne, ninfas e fadas estão combinados. Que um tal complexo de representações difundidas universalmente desde épocas remotíssimas sempre retorne, ou se mantenha vivo na mesma combinação, depõe com toda a clareza em favor de que se trata de uma realidade arquetípica básica.

A *Grande Mãe*, a *Vidente*, a *Deusa do Amor* são aspectos do feminino primordial e, portanto, também do arquétipo anima.

Em seu ensaio *Die Göttin Natur* [A Deusa Natureza], K. Kerényi[63] expõe a ideia de que ao fim e ao cabo Cibele e Afrodite são uma e a mesma, e ambas podem ser equiparadas à *Deusa Natureza*. Trata-se dessa grande figura divina que se reflete nos seres elementares e nas lendas a eles ligadas que descrevemos e de cujos traços a anima também é portadora.

Mulheres-cisne e ninfas não são entretanto as únicas formas em que o ser natural feminino se faz representar. Melusina é acusada de ser uma "serpente" pelo marido, e de fato esta também pode personificar o feminino primordial. Ela representa uma feminilidade ainda mais primitiva e mais telúrica que, por exemplo, o peixe ou até mesmo a ave; ao mesmo tempo, no entanto, atribui-se a ela esperteza e até mesmo sabedoria. Que ela é perigosa, porque sua picada é venenosa e seu abraço paralisante, é um fato há muito conhecido,[64] como o de que, apesar do perigo que representa, ela exerce um efeito fascinante.

A serpente aparece em inumeráveis mitos e contos de fadas, mas nem sempre num papel declaradamente feminino. Ela também aparece com frequência em sonhos e fantasias modernos, tanto de homens como de mulheres, como uma imagem de libido pré-humana, indiferenciada, e não tanto como um componente anímico consciente ou capaz de consciência.[65]

Entretanto há também exemplos nos quais ela possui um caráter de anima declarado. Assim Jung, em seu escrito *Zum psychologischen Aspekt der Korefigur*[66] [Do Aspecto Psicológico da Figura de Cora], menciona o sonho de um homem jovem em que uma serpente feminina comporta-se de maneira "terna e insinuante" e conversa com ele com voz humana.

Um outro homem, em cujo jardim aparecia de vez em quando uma cobra-de-água, acha que esta olha para ele com olhos notavelmente humanos, como se quisesse estabelecer relações com ele.

Como serpente, respectivamente como a "pequenina serpente verde e ouro", o ser natural aparece também no conto "O Caldeirão Dourado", de E. T. A. Hoffmann.[67] Essa pequena serpente, que olha para o herói da história com "inexprimível saudade", torna-se uma verdadeira figura de anima, que está na posse do caldeirão dourado, um recipiente no qual se reflete "o maravilhoso país da Atlântida", que, tendo afundado no mar, representa o inconsciente. Ao transmitir a Anselmus a visão dessas imagens, Serpentina cumpre uma função típica da anima. Além disso, ela o ajuda a decifrar um escrito enigmático, que se encontra numa folha verde-esmeralda, que pode ser facilmente reconhecida como uma folha do livro da natureza.

A *periculosidade* da anima é destacada quando ela aparece como animal de rapina, o que ocorre com frequência em sonhos e fantasias. Um homem, por exemplo, sonha que uma leoa que saiu de sua jaula vem na sua direção e caminha à sua volta de forma lisonjeira. Ela se transforma numa mulher, torna-se ameaçadora e o quer devorar. Tigres, panteras, leopardos, todo tipo de animal de rapina surge com frequência em sonhos desse tipo. A raposa desempenha um grande papel na China; ela aparece com frequência como uma bela moça, mas pode ser reconhecida pela sua cauda. Muitas vezes ela tem algo de fantástico e é vista como a personificação do espírito de um morto. As mulheres também têm sonhos semelhantes; nesses casos, o animal, sendo feminino, representa a sombra daquela que sonha ou sua feminilidade primitiva.

Uma figura da literatura moderna que mostra o caráter de serpente e ao mesmo tempo de animal de rapina da forma mais impressionante é Antineia, no romance *L'Atlantide*[68] de P. Benoit. Ela fascina por meio da beleza de Vênus, da esperteza da serpente e da crueldade de um animal de rapina, e exerce uma magia irresistível sobre todos os homens que se colocam ao seu alcance. Todos, entretanto, sucumbem de amor por ela, e seus cadáveres mumificados enfeitam como estátuas um mausoléu erguido com esse propósito. Antineia afirma descender de Netuno e da submersa Atlântida, sendo portanto uma criatura do mar como Morgana ou Afrodite. Ela é uma figura de anima declaradamente destrutiva; aqueles que se deixam encantar por ela perdem suas qualidades e virtudes masculinas e, finalmente, encontram a morte.

Como se pode depreender dos exemplos citados, cair em poder da anima sempre produz o mesmo efeito fatal, que num certo sentido é comparável à emasculação dos sacerdotes de Cibele.

É psicologicamente significativo que Antineia explique seu efeito nefasto como vingança em relação ao homem, que durante séculos usou e abusou da mulher. Até onde ela personifica o lado negativo do feminino-arquetípico, seria a vingança do princípio feminino pela desvalorização a que foi submetido.

Quando, como ocorre em muitas lendas, um ser da natureza se esforça para ligar-se a uma pessoa e ser amado por ela, isso quer dizer que um componente da personalidade inconsciente e não desenvolvido ambiciona agregar-se à consciência e, assim, tornar-se animado. Esse esforço se expressa de maneira semelhante também nos sonhos. Assim, por exemplo, C. G. Jung menciona um deles,[69] em que um homem jovem sonha que um pássaro branco entra em seu quarto pela janela. Este se torna uma menina de cerca de 7 anos de idade que se senta com ele à mesa, transformando-se então novamente num pássaro que, entretanto, fala com voz humana. Nesse caso está representado como um ser feminino gostaria de ser recebido na casa do que sonha; entretanto, ele é ainda uma criança, isto é, ainda não está desenvolvido, o que é expresso pelo fato de ele mais uma vez se transformar em pássaro. Trata-se de uma primeira aparição da figura da anima, que emerge no limiar da consciência e é a princípio apenas meio humana.

O inconsciente, na verdade, não tem apenas a tendência de persistir num estado primitivo ou de tornar a assimilar ou apagar tudo o que é consciente,[70] mas também mostra uma nítida atividade em outra direção. Há conteúdos inconscientes que pressionam para tornar-se conscientes a fim de, como os elfos, vingar-se quando não são levados em consideração. Aparentemente, o impulso para tornar-se consciente sai dos arquétipos, como se neles houvesse, por assim dizer, um instinto que visa a um objetivo. Não sabemos de onde vem o ímpeto inicial para tal e qual a natureza dos fundamentos dinâmicos que o desencadeiam. Isso faz parte dos segredos não pesquisados da psique e da vida.

No material de que tratamos aqui, a tendência de tornar-se consciente expressa-se no fato de que a princípio seres meio humanos, ainda presos à natureza, se aproximam e querem ser aceitos pela *pessoa*, ou seja, pela *consciência*. Além disso, há entretanto mais um ponto a ser levado em consideração que não foi mencionado até agora, ou seja, a circunstância de que, em muitos casos, os seres naturais discutidos possuem um *pai* (mais ou menos oculto). As Valquírias são filhas de Odin, e Odin é um deus do vento e *do espírito*. No conto de fadas do caçador e da mulher-cisne que precisa ser libertada da montanha de vidro, seu pai encontra-se lá mesmo e é libertado com ela. A ninfa galesa é entregue ao homem pelo pai, assim como Undine é enviada ao mundo dos homens pelo pai, o rei do mar, para que ela consiga uma alma.

Nos sonhos modernos e na imaginação ativa, a figura da anima também surge com frequência acompanhada pela figura do pai. Isso poderia ser entendido como uma indicação de que há um fator masculino-espiritual na base do natural-feminino na psique inconsciente a que talvez se deva atribuir o conhecimento do oculto que os seres da natureza citados possuem. Jung chama a essa figura de "o velho sábio" ou o "arquétipo do sentido", enquanto designa a anima de "arquétipo da vida".[71]

É o fator significante que existe no inconsciente que permite a conscientização. Segundo determinado ponto de vista, esse fator pode ser comparado com a ideia do "*lumen naturae*", que Paracelso diz ser uma luz invisível que se "aprende pelos sonhos". "Como a luz da natureza não pode falar, ela então dispõe do poder da palavra (de Deus) durante o sono."[72] Quando olhamos uma segunda vez o que foi exposto acima, torna-se patente que os seres naturais discutidos apresentam propriedades semelhantes e um comportamento em sua maior parte coincidente. Estes podem muito bem ser comparados com o caráter da anima e seus efeitos: *ambos representam o princípio de Eros*; *o ser natural transmite conhecimento oculto, assim como a anima transmite o conhecimento dos conteúdos do inconsciente*. Ambos exercem um *efeito fascinante*, e muitas vezes possuem um poder de domínio que pode ser destruidor, nesse caso especialmente, quando determinadas condições às quais a relação entre o homem e o ser natural ou entre o eu consciente e a anima estão associadas não são cumpridas. Esta última é, em muitas lendas, a causa de estas muitas vezes terminarem de maneira insatisfatória, isto é, de a relação ser rompida ou impossibilitada. Conclui-se daí que semelhante ligação é algo melindroso, e isso vale também para a relação com a anima. Como ensina a experiência, ela também faz determinadas exigências ao homem. Ela é um fator psíquico a ser levado em consideração e que não pode ser desprezado, o que em geral consiste na tendência de o homem naturalmente gostar de se identificar com sua masculinidade.

Mas não se trata em absoluto de que ele a coloque totalmente a serviço da Senhora Anima, com o que ele a perde, mas apenas que ele também conceda um determinado espaço ao feminino, que de qualquer forma faz parte do seu ser. Isso ele o faz ao reconhecer e realizar Eros, isto é, o princípio do relacionamento. Faz parte disso o fato de ele não só perceber seus sentimentos, mas o fato de também os utilizar, pois para o estabelecimento, e sobretudo para a manutenção de uma relação, um julgamento de valor, que o sentimento é, é indispensável. Por natureza, o homem está mais inclinado a relacionar-se com coisas, por exemplo, com seu trabalho ou com alguma outra área de interesse. A mulher, por sua vez, liga-se mais às relações pessoais, e este é também o caso da anima. Por isso ela gosta de envolver o homem nelas, mas pode também prestar-lhe bons serviços na formação de relacionamentos. No entanto, isso só acontece quando esse elemento feminino é incorporado à consciência. Enquanto age de maneira autônoma, ele perturba ou impossibilita os relacionamentos.

Os resultados de pesquisas e experiências da psicologia profunda têm mostrado que, para o homem moderno (ou para muitos dentre eles) é necessário ater-se aos conteúdos do inconsciente. Para isso, a relação do homem com a anima é de especial importância; para a mulher, o relacionamento com o animus, pois eles da mesma forma estabelecem a ligação com o inconsciente ao construir uma espécie de ponte até ele. Usualmente, a anima a princípio é projetada numa mulher real; isso pode dispor o homem a entrar em relação com ela, o que talvez não lhe fosse possível em absoluto de outra maneira. Mas isso também pode ter por consequência que ele se torne extremamente dependente da mulher em questão, com os resultados fatais descritos acima.

Enquanto essa projeção perdura, é naturalmente difícil encontrar a relação com a anima interior, isto é, com a própria feminilidade. Com frequência, entretanto, surgem em sonhos figuras de mulheres que não podem ser identificadas com uma pessoa real. Estas quase sempre aparecem como "a estranha", "a desconhecida" ou "a mulher velada", ou então – é o caso da nossa lenda – como um ser não propriamente humano. Sonhos desse tipo costumam ser impressionantes e acentuadamente emocionais, e é natural a suposição de que se trata de uma grandeza anímica interna com a qual eles estabelecem uma ligação.

Tais figuras e as circunstâncias e efeitos que as acompanham são tratadas com muita frequência na literatura, e são raras as obras em que os relacionamentos entre a pessoa e o ser natural chegam a uma conclusão satisfatória. A razão para isso poderia ser procurada no fato de faltar às primeiras a necessária consciência. Para estabelecer uma relação com o inconsciente, é imprescindível que a personalidade esteja suficientemente determinada e firme, de forma que ela não possa ser dominada e apagada pelo inconsciente, que é o perigo existente quando se lida com o mesmo.[73] Uma personalidade consciente também é necessária para manter a continuidade de tal relação, pois as figuras do inconsciente, embora gostassem de ser recebidas pelas pessoas, isto é, na consciência, são de natureza volátil e tornam a desaparecer com facilidade para o lugar de onde vieram ("Eu sou fugaz como a aurora e difícil de agarrar como o vento", diz Urvaśi).

A solução desse problema parece ser hoje especialmente urgente, como podem comprovar psicoterapeutas e psicólogos; com o método da assim chamada imaginação ativa, C. G. Jung mostrou um caminho.[74] Através da confrontação entre a personalidade do eu e as figuras do inconsciente e da discussão com elas, estas por um lado diferenciam-se do eu, e por outro estabelecem uma relação com ele, ocorrendo uma reação para os dois lados.

Um exemplo muito bonito e apropriado para isso encontra-se no conto de fadas *Libussa*,[75] cujo original é tcheco e que ganhou uma nova adaptação de Musäus. Nós o citamos aqui de forma abreviada: trata-se da ninfa de uma árvore que, ao ver seu carvalho ameaçado, pede proteção a um jovem escudeiro chamado Krokus. Como pagamento pelos seus serviços, ele poderia expressar um desejo: fama e honra, riqueza ou felicidade no amor. Mas ele não escolheu nada disso, ambicionando "descansar à sombra do carvalho das fadigas da campanha" e, da boca da ninfa, "ouvir os ensinamentos da sabedoria para desvendar os segredos do futuro". Seu desejo foi atendido; a cada fim de tarde, ela o visitava no lusco-fusco e passeava com ele pelas margens cheias de juncos do tanque. "Ela instruiu seu atento aluno quanto aos segredos da natureza, ensinou-lhe a origem e a natureza das coisas, deu-lhe aulas sobre as propriedades naturais e mágicas das mesmas e transformou o rude guerreiro num pensador, num sábio universal. *À medida que, através dos passeios com a bela sombra, as sensações e os sentimentos do jovem se aprimoravam, a forma do elfo parecia condensar-se e ganhar mais consistência*. Seu busto sentia calor e vida, seus olhos castanhos soltavam fogo e ele parecia ter aceito, com a figura de uma jovem meretriz, também os sentimentos da menina em flor."

Aqui a ação e a reação que ocorrem durante o relacionamento com a figura da anima estão descritos de forma extremamente apropriada. Esta ganha mais consistência, torna-se mais real e mais viva, enquanto, por outro lado, o sentimento do homem se torna bastante diferente a ele, além disso, é educado para tornar-se "um pensador e sábio", conseguindo assim renome. O conto tem uma conclusão natural,[76] quando, após uma longa convivência a ninfa um dia se despede de seu esposo já que prevê o fim inevitável do seu carvalho. Este foi atingido por um raio e a ninfa, cuja vida, apesar da humanidade, estava ligada à da árvore, desaparece para sempre.

O escritor inglês William Sharp,[77] já mencionado, encontrou uma forma de relacionamento com a anima notável e, creio eu, única. Seu pai, um comerciante, queria que ele estudasse direito, para o que ele não tinha aptidão. E muito menos o satisfazia passar três anos trabalhando num banco londrino. Depois de abandonar este último, ele passou a se dedicar à literatura e à crítica de arte, tendo publicado também alguma poesia. Isso o levou a ligar-se ao círculo de escritores e artistas londrinos. Ele era sobretudo amigo de Dante Gabriel Rossetti. Por problemas de saúde, ele teve de renunciar a lecionar em universidades, o que lhe foi oferecido muitas vezes. Sua esposa, a autora da biografia de onde tirei esses dados, era sua prima. Além da sua mentalidade crítico-intelectual ele tinha uma vida de fantasias e sonhos muito intensa, que ele chamava de "vida verde", pois ela estava intimamente ligada à natureza, pela qual ele nutria um grande amor. Ele satisfazia essa face do seu ser com estadas anuais no litoral, principalmente na Escócia. Uma babá escocesa já havia familiarizado o menino com lendas galesas, de forma que, para ele, a Escócia era uma espécie de pátria anímica. Durante uma dessas temporadas, ele começou lá mesmo a escrever um "romance celta" intitulado *Pharaïs*. Nessa ocasião, ficou claro para ele "quanto o elemento feminino era dominante nele, e que o livro devia sua criação ao lado feminino, subjetivo da sua natureza". Ele, portanto, decidiu publicá-lo com o pseudônimo de Fiona McLeod, que lhe veio à mente *ready made*. Ele escreveu vários livros com esse pseudônimo, nos quais a natureza peculiar da Escócia e de seus habitantes está representada em impressionantes descrições.[78] Essas obras foram muito apreciadas, sobretudo porque nessa época havia surgido um novo interesse pela cultura celta. W. B. Yeats, por exemplo, escreveu a respeito: "Do grupo de novas vozes, nenhuma é mais significativa que a voz notavelmente misteriosa que se manifesta nas narrativas de Fiona MacLeod. Ela se tornou a voz dessas pessoas primitivas e das coisas elementares, não apenas através da observação das mesmas, mas a partir de uma identidade com a natureza. Sua arte é daquele grande tipo que está baseada na revelação e que tem a ver com coisas invisíveis e inapreensíveis". Perguntado sobre como tinha passado a escrever com um nome de mulher, Sharp respondeu: "Como mulher, posso usar da sinceridade que é impossível usar como William Sharp... Esse sentimento embriagante de ser um com a natureza, esse êxtase e elevação cósmicos, esse perambular pelas fronteiras mais externas do mundo usual, tudo isso está tão entrelaçado com o romantismo da vida que eu não poderia me expressar com meu Eu superior externo usual". Ele mantinha sua identificação com

Fiona MacLeod em segredo absoluto, e mesmo seus amigos só vieram a tomar conhecimento dela depois de muito tempo. Ao lado da correspondência do próprio William Sharp, Fiona mantinha a sua com seus leitores. Ele escreveu uma vez numa carta a sua mulher: "W. S. e F. M. tornam-se cada vez mais declaradamente duas pessoas, às vezes unidas em espírito e, juntas, uma personalidade, às vezes diferentes uma da outra de forma nítida." Ele assina essa carta com "Wilfion" (contração de William e Fiona). Em seu aniversário, ele costumava sempre trocar cartas com Fiona, em que expressava sua gratidão enquanto ela lhe fazia advertências.

Temos aqui um caso em que a anima interna atingiu um grau raro de realidade. Talvez isso esteja baseado numa disposição especial de W. Sharp; em princípio, no entanto, corresponde ao que se quer dizer com o relacionamento com a anima ou com a integração da mesma, o que é possível a cada um em determinada medida.

A integração da anima, isto é, a incorporação do elemento feminino na personalidade consciente do homem, faz parte do processo de individuação. Aí há um ponto de especial importância a ser levado em consideração: o elemento feminino que deve ser integrado como um componente da personalidade é apenas uma parte da anima, a saber, seu aspecto *pessoal*. Mas ela ao mesmo tempo representa o arquétipo do feminino, e este é de natureza *suprapessoal*, e por isso não pode ser integrado.

Nossa observação mostrou que, por trás dos seres elementares descritos, encontram-se as figuras divinas de Cibele, de Afrodite e, por fim, da deusa Natureza. A partir desse pano de fundo arquetípico, esclarece-se a violência irresistível que pode emanar de uma dessas figuras de anima. Quando é a própria natureza que se opõe a alguém, é compreensível que se seja dominado e vencido por ela. Isso ocorre então sobretudo quando o aspecto arquetípico da anima não se diferencia do pessoal. A anima consegue exercer sua prepotência quando os dois aspectos se misturam; por isso, acima de tudo, é importante diferenciar o que pertence ao pessoal do que é suprapessoal. Em sonhos e fantasias, essa divisão às vezes é representada de tal forma que a figura da anima suprapessoal morre. Conheço uma história fantástica em que esta vai para o céu restando uma mulher comum. No *Sonho de Amor de Polifilo* já citado, o sonho termina com a ninfa Polia desaparecendo no ar, "como uma imagem celeste, divinizada".[79]

C. G. Jung menciona o sonho de um homem no qual a anima, uma figura feminina de tamanho maior que o natural, encontra-se, com o rosto velado, em pé no lugar do altar. Como arquétipo, a anima é de natureza sobre-humana e vive num lugar celeste, como as ideias platônicas. Diferente dos componentes anímicos feminino-pessoais, ela ainda assim está por trás deles como imagem primordial e os forma de acordo com a sua figura. Devemos ir ao encontro dela, a *Grande Mãe e Deusa do Amor, a Senhora*, ou como quer que se chame, com veneração. O homem deve discutir com sua anima pessoal, com a feminilidade que lhe pertence, que pode acompanhá-lo e completá-lo, mas que não deve dominá-lo.

Neste trabalho, tentei representar a anima como ser natural, e não levei em consideração suas formas de aparição mais elevadas, como, por exemplo, a da Sophia. Parece-me importante evidenciar o lado natural da mesma, já que este faz parte da natureza do feminino de forma tão pronunciada. Com o reconhecimento e a integração da anima, cria-se um posicionamento totalmente modificado em relação ao feminino. A nova avaliação do princípio feminino exige que a natureza também receba a veneração que lhe é devida após o ponto de vista do intelecto dominante na era da ciência e da tecnologia ter levado mais à sua utilização, e até mesmo exploração, que à sua veneração. Mas hoje, felizmente, pode-se observar sinais que apontam para a direção da última. O mais importante e o mais significativo é o novo dogma da *Assumptio Mariae* e a interpretação da mesma como senhora da criação. Na nossa época, em que poderes dissociativos estão ativos de forma tão ameaçadora, dividindo povos, pessoas e átomos, é duplamente necessário que os poderes de ligação e união também possam entrar em ação; pois a vida está baseada na combinação harmônica das energias masculinas e femininas também no interior do indivíduo. Produzir a união desses contrários é uma das tarefas mais importantes da psicoterapia atual.

NOTAS

UMA CONTRIBUIÇÃO AO PROBLEMA DO ANIMUS

1. Ver Frazer, *Taboo and the Perils of the Soul*; Crawley, *The Idea of the Soul*; Lévy-Bruhl, *Die Geistige Welt der Primitiven* e *Die Seele der Primitiven*.
2. Romanos 7,19.
3. *Psychologische Typen*, p. 689s. (Obras Completas VI, p. 527); comparar também com *Die Beziehungen zwischen dem Ich und dem Unbewussten*, p. 11ss. (Ob. Comp. VII, p. 139s.).
4. Ver *Psychologische Typen*, p. 597s. (Ob. Comp. VI, p. 453) e *Die Beziehungen zwischen dem Ich und dem Unbewussten*, p. 30 (Ob. Comp. VII, p. 151).
5. Ver *Psychologische Typen*, p. 661s. e 670ss. (Ob. Comp. VI, p. 503ss. e 510ss.) e *Die Beziehungen zwischen dem Ich und dem Unbewussten*, p. 117ss. (Ob. Comp. VII, p. 207ss.).
6. No que se refere ao conceito de realidade psíquica, eu me remeto aos escritos de C. G. Jung, especialmente *Psychologische Typen*, p. 17ss. (Ob. Comp. VI, p. 7ss.).
7. Eu me refiro aqui ao valioso livro de E. Harding, *The Way of all Women*.
8. J. Grimm, *Deutsche Mythologie I*, p. 115ss.

9. Idem I, p. 110.
10. Idem II, p. 725.
11. Lévy-Bruhl, *Die geistige Welt der Primitiven* e *Die Seele der Primitiven.*
12. Comparar com C. G. Jung, *Psychologischen Typen*, p. 646s. (Ob. Comp. VI, p. 491s.).
13. Exemplos notáveis de figuras de animus podem ser encontrados na literatura, por exemplo em: Fraser, *The Flying Draper* e *Rose Anstey*; Hay, *The Evil Vineyard*; e da mesma forma em: Flournoy, *Des Indes à la planète Mars. Etude sur un cas de somnambulisme avec glossolalie.*
14. *Die Geheimlehre des Veda. Ausgewählte Texte der Upanishad's*, organizado por Deussen.
15. *Ausführliches Lexikon der griechischen und römischen Mythologie*, organizado por Roscher, I, verbete "Dioniso".
16. Ver C. G. Jung, *Psychologische Typen*, p. 596 (Ob. Comp. VI, p. 451s.) e *Die Beziehungen zwischen dem Ich und dem Unbewussten*, p. 30 (Ob. Comp. VII, p. 151).

A ANIMA COMO SER NATURAL

1. *Canções do Rig Veda*, X, 95, p. 142ss.
2. *The Satapabrâhmana, according to the text of the Mâhyandina school.*
3. As Apsaras (= que se movem na água) são ninfas aquáticas celestes de grande beleza que se dedicam ao canto e à dança. Seus companheiros masculinos são os gandarvos, igualmente amantes da música. (*Encyclopedia of Religion and Ethics*, organizada por Hastings, I, verbete "Apsaras".)
4. Apuleius, *Die Metamorphosen oder Der goldene Esel.* Ver também Neumann, *Ein Beitrag zur seelischen Entwicklung des Weiblichen* (Comentário sobre: Apuleius, *Amor und Psyche*). [Cf. *Amor e Psiquê.* São Paulo, Cultrix, 1990.]

5. Ver, além disso, Kuhn, *Mythologische Studien I: Die Herabkunft des Feuers und des Göttertranks*, em que esse filho é interpretado como sendo o fogo.
6. Segundo *A Celtic Miscellany. Translations from the Celtic Literature*. Comparar também com D'Arbois de Jubainville, *Le Cycle mythologique irlandais et la mythologie celtique*.
7. J. Grimm, *Deutsche Mythologie I*, p. 346.
8. J. Grimm, idem, p. 347.
9. J. Grimm, idem, p. 354.
10. Edda, I: *Heldendichtung, Wölundlied*, p. 17s.
11. Isto é, como Valquírias, elas tecem o fio da vitória e da fama.
12. Para isso, ver também M.-L. von Franz, *Archetypal patterns in Fairy Tales*, capítulo 5. [Padrões arquetípicos nos contos de fadas.]
13. Segundo J. Grimm, *op. cit.*, p. 354, o cisne era uma ave que previa o futuro: a palavra *schwanen*, ("cisne", em alemão) estaria relacionada com *ahnen*, "prever".

    A "gralha da vitória" (Badb) da mitologia irlandesa, uma antiga deusa da guerra, está aparentada com a Valquíria, mas tem mais o caráter sinistro de uma anunciadora de desgraças. (Macculloch, *The Religion of the Ancient Celts*, p. 71s e disperso pelo texto.)
14. Sobre a anima como tecelã, ver Jung, *Aion*, p. 27s. (Ob. Comp. IX, 2ª parte).
15. *fatum* = dito, vaticínio (ver Walde, *Lateinisches etymologisches Wörterbuch*).
16. *A Canção dos Nibelungos*, II, 25º Aventura, p. 122s.
17. Em alemão moderno:

    "Sie schwammen wie die Vögel schwebend auf der Flut.
    Da daucht' ihn ihr Wissen von den Dingen gut:
    So glaubt' er um so lieber' was sie ihm wollten sagen."

No original:

"Sie swebten sam die vogele' vor im ûf der vluot.
des dûhten in ir sinne' starc unde guot:
swaz si im sagen wolden' er geloubte in dester baz."

18. Germania, 8, citado por J. Grimm, *op. cit.* I, p. 78.
19. "que suas mães de família, através de adivinhações e previsões informam se é aconselhável dar ou não uma batalha...", citado em *op. cit.* I, p. 78.
20. *Op. cit.* I, p. 361.
21. Aquisgranum.
22. "uma maga ou fada que com outros nomes é chamada também de ninfa ou deusa ou dríade."
23. *Escrito comemorativo Albert Oeri para o 21 de setembro de 1945.*
24. Ver Jung, *Psychologische Aspekte des Mutterarchetypus* (Ob. Comp. IX, 1ª parte).
25. Obras Completas II.
26. Ver, por exemplo, *Der Jäger und die Schwannenjungfrau*, em: *Deutsche Märchen seit Grimm I*, p. 133ss.: *Die weisse und die schwarze Braut*, em: Brüder Grimm, *Kinder-und Hausmärchen*, I, Nº 48, e *Die Rabe*, *op. cit.* II, Nº 87; *Die Entenjungfrau*, em: *Russische Märchen*, Nº 32. *Die Geschichte von Hasan, dem Bassoriten*, em: *Die Erzählungen aus 1001 Nacht*, IX.
27. Segundo fontes germânicas e nórdicas, pensava-se que sob a Montanha de Vidro havia um lugar do Além, onde ficavam os mortos ou os bem-aventurados; segundo outra concepção, lá vivem mulheres-cisne, fadas, bruxas, anões e seres semelhantes. Em muitos contos de fadas, pessoas são levadas para lá por um espírito ou demônio e precisam ser libertadas. (Compare com *Handwörterbuch des deutschen Aberglaubens* III, verbete "Glasberg".) Esse lugar do Além pode muito bem ser comparado com o inconsciente.

28. Musäus, *Volksmärchen der Deutschen* II.
29. O editor introduz aqui um comentário engraçado, que a localidade deriva seu nome de uma certa Schwanhildis e seu pai Cygnus, "pertencendo os dois à raça das fadas, descendendo provavelmente dos ovos de Leda"!
30. Ver, a respeito, Jung, *Zum psychologischen Aspekt der Korefigur* (Ob. Comp. IX, 1ª parte).
31. Ver o poema de Goethe *Der Fischer* [O Pescador] (Obras, I, p. 171), *Winternacht* [Noite de Inverno] (Obras, IX/1, p. 74) e *Nixe im Grundquell* [Ninfa na Fonte] (IX/1, p. 87), de Gottfried Keller, e também *Die versunkene Glocke* [O relógio submerso] de Gerhardt Hauptmann e *Ondine* de Jean Giraudoux.
32. J. Grimm, *op. cit.* I, p. 360. Segundo Kluge, *Etymologisches Wörterbuch der deutschen Sprache*, o significado original da palavra *Minne* (amor) equivalia a recordação, memória, lembrança. Ela está aparentada à palavra inglesa *mind* (mente) e deriva da raiz indo-germânica *men* ou *man* = pensar, julgar. J. Grimm usa, para *man* = homem (*op. cit.*).
33. Ver, por exemplo, o interessante estudo de Bezzola sobre *Guillaume IX et les origines de l'amour courtois*.
34. Rhys, *Celtic Folklore. Welsh and Manx*.
35. Atribuía-se ao ferro o poder de repelir seres élficos.
36. Isso é descrito de maneira bastante drástica num conto de fadas nórdico, *Die Waldfrau* [A Mulher da Floresta] (*Nordische Volksmärchen*, Nº 34), que conta como um lenhador foi encantado por uma bela donzela que ele conheceu na floresta. Todas as noites ela o levava consigo para sua montanha, onde tudo era tão suntuoso como ele nunca havia visto antes. Um dia, quando ele estava cortando lenha, a mulher lhe trouxe a comida numa bela bandeja de prata. Quando ela se sentou sobre o tronco, ele viu, decepcionado, que ela tinha um rabo de vaca que caíra na fenda da árvore.

Rapidamente ele retirou a cunha, de forma que o rabo ficou preso e foi cortado. Ele então escreveu o nome de Jesus na bandeja. Imediatamente a mulher desapareceu e a bandeja de comida não passava de um pedaço de casca de árvore com esterco.

37. Na superstição popular, o espelho é conhecido como um instrumento de magia; ele tem um efeito numinoso, em que se vê nele a sombra ou duplo de si mesmo. Um espelho mágico mostra tudo o que acontece no mundo, ou anuncia o futuro e revela absolutamente tudo o que há de secreto ou oculto. (Ver *Hand-wörterbuch des deutschen Aberglaubens*, IX, verbete "Spiegel".)
38. Ver Jung, *Paracelsica*, p. 157ss. e disperso no texto, onde a lenda é contada por extenso e a figura de Melusina é interpretada como anima no contexto do simbolismo alquímico e da concepção paracélsica das Melusinas como almas que habitam o sangue.
39. Segundo Baring-Gould, *Curious Myths of the Middle Ages*, II, p. 206ss.
40. Como, por exemplo, Lourdes.
41. Segundo Maury, *Croyances et légendes du Moyen-Age*.
42. Sharp, *William Sharp (Fiona MacLeod). A Memoir, compiled by his wife Elizabeth A. Sharp.*
43. Liber de Nymphis, *Sylphis, Pygmaeis et Salamandris, et de caeteris spiritibus*, p. 60.
44. *Op. cit.*, pp. 63 e 62.
45. De la Motte-Fouqué, *Undine*.
46. Carus, *Psyche*.
47. Marie de France, *Les Lais*. Na Alemanha pela Hertz, *Spielmannsbuch*.
48. Uma lenda alemã semelhante é relatada por Paracelsus no ensaio mencionado acima, p. 60s., bem como pelos irmãos Grimm em: *Deutschen Sagen* II, p. 202ss. Eles contam a história de um cavaleiro de Staufenberg que um dia, ao cavalgar a caminho da igreja, encontrou uma belíssima jovem que estava sentada completamente

só à entrada de uma floresta. Como se constatou, ela o estava esperando ali. Ela lhe confessou também que o amava desde sempre e que estivera a seu lado protegendo-o e ajudando-o, após o que eles se tornaram noivos. Ela também é uma fada que se apresenta sempre que desejada e que o abastece de dinheiro e bens desde que ele nunca se ligue a outra mulher. Quando, forçado pela família, ele se dispõe a fazê-lo apesar de tudo, ela, após avisá-lo, de maneira misteriosa leva-o à morte no espaço de três dias. Nessa donzela, que *sempre* amou o cavaleiro, não é difícil reconhecer o feminino que lhe pertence; sua exigência de exclusividade é um traço característico da anima, que frequentemente leva a difíceis complicações e conflitos.

49. Macculloch, *op. cit.*, p. 362ss.
50. Esse motivo desempenha um papel importante, por exemplo, em Chrétien de Troyes, nos poemas *Ywain* e *Erec* e *Enide*, tendo sido esta última obra tratada por R. Bezzola num estudo muito sutil (*Le sens de l'aventure et de l'amour* [Chrétien de Troyes]). O feito mais difícil do herói perdidamente apaixonado consiste em que ele tem de lutar com um adversário desse tipo, em certa medida, portanto, o seu duplo. A superação do mesmo significa que ele consegue livrar-se do laço de amor que o isolava e, com a mulher, dedicar-se de novo à sociedade e ao mundo.
51. Ver Barto, *Tannhäuser and the Mountain of Venus. A study in the legend of the Germanic Paradise*, de onde também foram retiradas as citações.
52. Em algumas versões, está: "Vênus da Düvelinne (?)".
53. Aqui a Senhora Vênus tornou-se a Verena suíça.
54. Ver também J. Grimm, *Deutsche Mythologie* II, p. 780. Na baixa Idade Média, a Montanha de Vênus foi identificada com o Graal na Alemanha, já que esse nome possuía na época um significado de festa, de festividade. Hertz (*Die Sage von Parsifal und dem Gral*,

p. 36) cita um cronista que escreve: "Os historiadores querem dizer que esse jovem, o cavaleiro do cisne, veio da montanha onde Vênus está no Graal".

55. Ver a detalhada pesquisa psicológica dessa obra por L. Fierz-David, *Der Liebestraum des Poliphilo*.
56. Antoine de la Sale, *Le Paradis de la reine Sibylle*; organizado por Desonay.
57. *Ausführliches Lexikon der griechischen und römischen Mythologie*, organizado por Roscher, IV, verbete "Sibylla".
58. *Op. cit.*
59. Antoine de la Sale, *Le Paradis*.
60. A imagem da deusa, uma pedra sagrada, foi apanhada na época por Pessinus e levada para Roma.
61. Em um hino órfico, ela é invocada como "Mantenedora da vida e amiga da paixão furiosa". (*Orpheus. Altgriechische Mysteriengesänge*)
62. Poder-se-ia também caracterizá-lo como "Reino das Mães", mas eu escolhi a outra expressão porque, na narrativa mencionada, não está destacado o *aspecto materno*, mas sim aquele de *Eros*.
63. *Eranos Jahrbuch* XIV (1946).
64. C. G. Jung, *Symbole der Wandlung*, ver, por exemplo, pp. 513 e 610 (Ob. Comp. V).
65. C. G. Jung, *Symbole der Wandlung* (Ob. Comp. V), e Neumann, *Ursprunggeschichte des Bewusstseins*.
66. Em Jung e Kerényi, *Einführung in das Wesen der Mythologie* (Ob. Comp. IX, 1ª Parte).
67. Eu me refiro ao notável estudo *Bilder und Symbole aus E. T. A. Hoffmanns Märchen "Der Goldne Topf"*, de A. Jaffé. Em C. G. Jung, *Gestaltungen des Unbewussten*.
68. Benoit, *L'Atlantide*. Romance.

69. Ver, a respeito, Jung, *Zum psychologischen Aspekt der Korefigur* (Ob. Comp. IX, 1ª parte).
70. Ver C. G. Jung, *Symbole der Wandlung* (Ob. Comp. V), e Neumann, *Ursprungsgeschichte des Bewusstseins*.
71. Ver C. G. Jung, *Von den Wurzeln des Bewusstseins: Über die Archetypen des kollektiven Unbewussten*, pp. 44 e 51 (Ob. Comp. IX, 1ª parte), bem como C. G. Jung, *Symbolik des Geistes*: *Zur Phänomenologie des Geistes im Märchen*, p. 17ss. (Ob. Comp. IX, 1ª parte).
72. Ver, além disso, C. G. Jung, *Psychologie und Alchemie* (Ob. Comp. XII) e *Paracelsica* (Ob. Comp. XV).
73. Ver C. G. Jung, *Die Beziehungen zwischen dem Ich und dem Unbewussten* (Ob. Comp. VII), e Neumann, *Ursprungsgeschischte des Bewusstseins*.
74. Ver, a respeito, Jung, *Zum psychologischen Aspekt der Korefigur* (Ob. Comp. IX, 1ª parte).
75. *Volksmärchen der Deutschen* II.
76. O conto descreve também os destinos das três filhas do casal, que eu não abordo aqui.
77. E. A. Sharp, *op. cit.*, p. 26.
78. O primeiro livro publicado com esse nome foi *Pharaïs*. Em alemão, apareceram *Das Reich der Träume* [O Reino dos Sonhos] e *Wind und Woge* [Ventos e Vagas].
79. Ver L. Fierz-David, *op. cit.*, p. 226s.

Bibliografia

ANTOINE DE LA SALE: *Le Paradis de la reine Sibylle*. Org. e acrescido de um comentário crítico por Fernand Desonay. Librarie E. Droz, Paris, 1930.

APULEIUS: *Amor und Psyche*. Com um comentário de Erich Neumann: Uma contribuição para o desenvolvimento da psique feminina. Rascher, Zurique, 1952. [*Amor e Psiquê*. São Paulo, Cultrix, 1990].

__________. *Die Metamorphosen oder Der goldene Esel* [As Metamorfoses ou O Asno de Ouro]. Traduzido por August Rode, nova edição organizada por Hanns Floerke. Munique e Leipzig, 1909.

ARBOIS DE JUBANVILLE, H. de: *Le Cycle mythologique irlandais et la mythologie celtique*. Paris, 1884.

BÄCHTOLD-STÄUBLI, Hanns: veja *Handwörterbuch* [Dicionário de bolso].

BARING-GOULD, S.: *Curious Myths of the Middle Ages*. 2ª ed. revista e ampliada. Londres, Oxford e Cambridge, 1867/1868.

BARRIE, James Matthew: *Mary Rose. A Play in three Acts*. Samuel French, Londres, 1947.

BARTO, Phillip Stephan: *Tannhäuser and the Mountain of Venus. A study in the legend of the Germanic Paradise*. Dissertação na Universidade de Illinois, 1913. Nova York, 1916.

BENOIT, Pierre: *L'Atlantide*. Romance. Paris, 1919.

BEZZOLA, Reto Raduolf: *Guillaume IX et les origines de l'amour courtois*. In: *Romania. Revue trimestrielle consacrée à l'étude des langues et des littératures romanes, LXVI* (1940).

__________. *Le Sens de l'aventure et de l'amour* (Chrétien de Troyes). Editions La Jeune Parque, Paris, 1947.

CARUS, Carl Gustav: *Psiche*. Seleção e introdução de Ludwig Klages. Diederich, Jena, 1926.

A Celtic Miscellany. Traduções das *Celtic Literatures*, por K. H. Jackson, Routledge & Kegan Paul, Londres, 1951.

Os Contos da Literatura Mundial (MWL). Org. por Friedrich von der Leyen e Paul Zaunert. Diederichs, Jena, 1912 *et. sq*.

CRAWLEY, Alfred Ernest: *The Idea of the Soul*. Londres, 1909.

CRÉTIEN DE TROYES: veja KRISTIAN.

DESONAY, Fernand: veja ANTOINE DE LA SALE.

DEUSSEN, Paul: veja *Doutrina Secreta*.

Edda, I: *Heldendichtung*. Divulgado por Felix Genzmer; 2 volumes. Coleção Thule, Jena, 1912.

Encyclopedia of Religion and Ethics. Org. por James Hastings; 12 vols. Edimburgo, 1908-1926.

Die Erzählungen aus 1001 Nacht, IX. 12 vols. Leipzig, 1907/1908. Obra comemorativa de Albert Oeri dedicada ao dia 21 de setembro de 1945. Oficina gráfica Zum Basler Berichthaus AG, Basel, 1945.

FIERZ-DAVID, Linda: *Der Liebestraum des Poliphilo*. Uma contribuição para a Psicologia renascentista e moderna. Rhein V., Zurique, 1947.

FLOURNOY, Théodore: *Des Indes à la planète Mars. Étude sur un cas de somnambulisme avec glossolalie*. Três edições inalteradas. Paris e Genebra, 1900.

FRANZ, Marie-Louise von: *Archetypal Patterns in Fairy Tales*. Conferências. Impressão particular, Zurique, 1951.

FRASER, Arthur Ronald: *The Flying Draper*. "First Novel" Library, Londres, 1924; Traveller's Library, Londres, 1931.

FRASER, James George: *Taboo and the Perils of the Soul*. Londres, 1911 como 2ª parte de: *The Golden Bough. A Study in Magic and Religion*. 12 vols., 3ª ed., Londres, 1907-1915.

Die Geheimlehre des Veda. Textos escolhidos dos *Upanishads*, traduzidos do sânscrito por Paul Deussen. 3ª ed. Leipzig, 1909.

GIRAUDOUX, Jean: *Ondine. Pièce en trois actes*. Grasset, Paris, 1939.

GOETHE, Johann Wolfgang von: *Der Fischer*. Poesia em: *Werke*. Edição completa definitiva, I. Cotta. Stuttgart e Tübigen, 1827.

GRIMM, irmãos: *Kinder – und Hausmärchen*. MWL. 2 vols. Jena, 1912.

__________. Lendas alemãs II. Organizado por Hanns Floerke, 2 vols., Munique e Leipzig (o.D.).

GRIMM, Jacob: *Deutsche Mythologie I*, org. por Elard Hugo Meyer, 3 vols., 4ª ed., Gütersloh 1835.

HAGGARD, Henry Rider: *She. A History of Adventure*. Londres, 1887 (inúmeras reedições).

Handwörterbuch des deutschen Aberglaubens [Dicionário de bolso das superstições alemãs]. Org. por Hanns Bächtold-Stäubli. 10 vols. Walter de Gruyter & Co., Berlim e Leipzig, 1927-1942.

HARDING, Esther: *The Way of all Women*. Longman's, Green & Co., Nova York, 1933. Em alemão: *Der Weg der Frau. Eine psychologische Deutung*. Rhein V., Zurique, 1938; 5ª ed., Zurique, 1962.

HASTINGS: veja Enciclopédia.

HAY, Agnes Blanche Marie: *The Evil Vineyard*. G. B. Putnam's Sons, Londres e Nova York, 1923; Tauchnitz, 1924.

HERTZ, Wilhelm: *Die Sage vom Parzival und dem Gral*. Breslau, 1882. *Spielmannsbuch*. Stuttgart e Berlim, 1912. (Veja, também, Marie de France.)

HILLEBRANDT, Alfred: veja *Lieder des Rg-veda*.

JACKSON, K. H.: veja *A Celtic Miscellany*.

JAFFÉ, Aniela: *Bilder und Symbols aus E. T. A. Hoffmanns Märchen "Der Goldne Topf"*. Cf. C. G. Jung, *Gestaltungen des Unbewussten*.

JUNG, Carl Gustav:* *Psychologische Typen.* Rascher, Zurique, 1929. Reedições em 1925, 1930, 1937, 1940, 1942, 1947 e 1950 (Obras Completas VI [1960 e 1967]).

__________. *Die Beziehungen zwischen dem Ich und dem Unbewussten.* Darmstadt, 1928. Reedições pela Rascher, Zurique em 1933, 1935, 1939, 1945, 1950, 1960 e 1966 (brochura) (Obras Completas VII [1964]).

__________. *Über die Archetypen des kollektiven Unbewussten.* In: *Eranos Jahrbuch II* (1934). Rhein V., Zurique 1935. Reedição em: *Von der Wurzeln des Bewusstseins.* Studien über den Archetypus (Psychologische Abhandlungen IX). Rascher, Zurique, 1954 (Obras Completas IX/I).

__________. Die psychologischen Aspekte des Mutter-Archetypus. In: *Eranos Jahrbuch VI* (1938). Rhein V., Zurique, 1939. Reedição em: *Von den Wurzeln des Bewusstseins.* Veja acima.

__________. *Zum psychologischen Aspekt der Kore-Figur.* In: JUNG UND KÉRENYI, *Einführung in das Wesen der Mythologie, Albae Vigiliae* VI/VII e VIII/IX, Pantheon, Amsterdam e Leipzig, 1941. Reedição Rhein V., Zurique, 1951 (Obras Completas IX/1).

__________. *Paracelsica.* Duas palestras sobre o médico e filósofo Theophrastus. Rascher, Zurique, 1942 (Obras Completas XV).

* Neste volume, as páginas das notas das obras citadas estão em ordem cronológica e se referem à primeira edição. Na medida em que forem publicadas, também as reedições das Obras Completas serão apresentadas em ordem cronológica.

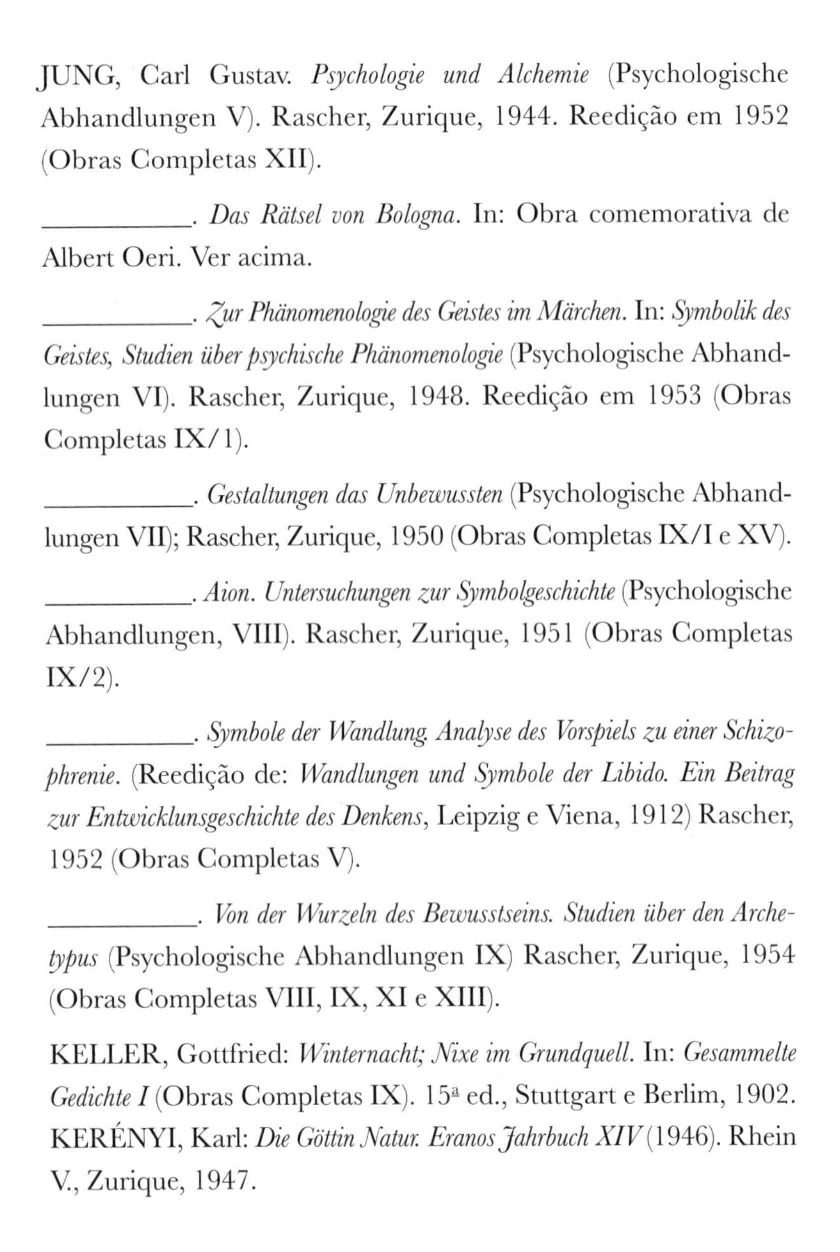
JUNG, Carl Gustav. *Psychologie und Alchemie* (Psychologische Abhandlungen V). Rascher, Zurique, 1944. Reedição em 1952 (Obras Completas XII).

__________. *Das Rätsel von Bologna*. In: Obra comemorativa de Albert Oeri. Ver acima.

__________. *Zur Phänomenologie des Geistes im Märchen*. In: *Symbolik des Geistes, Studien über psychische Phänomenologie* (Psychologische Abhandlungen VI). Rascher, Zurique, 1948. Reedição em 1953 (Obras Completas IX/1).

__________. *Gestaltungen das Unbewussten* (Psychologische Abhandlungen VII); Rascher, Zurique, 1950 (Obras Completas IX/I e XV).

__________. *Aion. Untersuchungen zur Symbolgeschichte* (Psychologische Abhandlungen, VIII). Rascher, Zurique, 1951 (Obras Completas IX/2).

__________. *Symbole der Wandlung. Analyse des Vorspiels zu einer Schizophrenie*. (Reedição de: *Wandlungen und Symbole der Libido. Ein Beitrag zur Entwicklunsgeschichte des Denkens*, Leipzig e Viena, 1912) Rascher, 1952 (Obras Completas V).

__________. *Von der Wurzeln des Bewusstseins. Studien über den Archetypus* (Psychologische Abhandlungen IX) Rascher, Zurique, 1954 (Obras Completas VIII, IX, XI e XIII).

KELLER, Gottfried: *Winternacht; Nixe im Grundquell*. In: *Gesammelte Gedichte I* (Obras Completas IX). 15ª ed., Stuttgart e Berlim, 1902.
KERÉNYI, Karl: *Die Göttin Natur. Eranos Jahrbuch XIV* (1946). Rhein V., Zurique, 1947.

KLUGE, Friedrich: *Etymologisches Wörterbuch der deutschen Sprache*. Berlim, 1883 (19ª ed., Walter de Gruyter & Co., Berlim, 1963).

KRISTIAN (Chrétien) VON TROYES: *Erec und Enide*. Publicação nova e revisada do texto com introdução e glossário, org. por Wendelin Foerster. Halle a.d. Sale, 1896.

__________. *Iwain (der Löwenritter)*, texto com introdução, notas e glossário, org. por Wendelin Foerster, 2ª ed., reorganizada e ampliada. Halle a.d. Sale, 1912.

KUHN, Adalbert: *Mythologische Studien*. 2 vols. org. por Ernst Kuhn, 2ª ed., Gütersloh, 1886 e 1912.

LA MOTTE FOUQUÉ, Friedrich de: *Undine*. Org. por J. Dohmke. Leipzig e Viena. (o.D.)

Lendas alemãs: veja Irmãos Grimm.

LÉVY-BRUHL, Lucien: *Die geistige Welt der Primitiven*. Tradução. Bruckmann, Munique, 1927.

__________. *Die Seele der Primitiven*. Tradução. Braunmüller, Viena e Leipzig, 1930.

Lexikon, Ausführliches, der griechischen und römischen Mythologie. Org. por W. H. Roscher, Berlim, 1884 *et sq*.

Lieder des Rg-veda. Trad. e org. por Alfred Hillebrandt. Göttingen e Leipzig, 1913.

MACCULLOCH, J. A.: *The Religion of the Ancient Celts*. Edimburgo, 1911.

MCLEOD, Fiona (William SHARP): *Pharais. A Romance of the Isles.* Derby, 1893.

__________. *Das Reich der Träume.* Tradução. Jena, 1905.

__________. *Wind und Woge, Keltische Sagen.* Tradução. Leipzig, 1905.

Veja também: SHARP, Elizabeth Amelia.

MARIE DE FRANCE: *Les Lais. Bibliotheca Romanica.* Org. por J. H. Ed. Heitz, Estrasburgo, 1921. Em alemão: HERTZ, Wilhelm. Veja acima.

MAURY, Alfred: *Croyances et légendes du Moyen-Age.* Paris, 1896.

MUSAÜS, Johann Karl August: *Volksmärchen der Deutschen* (MWL), 2 vols., Jena, 1912.

NEUMANN, Erich: *Ursprungsgeschichte des Bewusstseins.* Com prefácio de C. G. Jung. Rascher, Zurique, 1949.

Veja: APULEIUS.

Das Niebelungenlied II. Alemão arcaico e divulgado por Karl Simrock, 2 vols., Tempel V., Leipzig. (o.D.)

Nordische Volksmärchen (MWL). Trad. por Klara Stroebe. Diederichs, Jena, 1922.

Orpheus. Altgrieschiche Mysteriengesänge. Extraído do texto original antigo e publicado por J. O. Plassmann. Diederichs, Jena, 1928.

PARACELSUS (Theophrastus Bombast von Hohenbeim): *Liber der Nymphis, Sylphis Pygmaeis et Salamandris, et de caeteris spiritibus.* In: *Bücher und Schrifften IX.* Org. por Johannes Huser, 10 vols., Basel, 1589-1591.

PLATO: *Phaidros*. In: *Sämtliche Werke*, 3 vols., Lambert Schneider, Heidelberg, 1957.

RHYS, John: *Celtic Folklore*. Welsh e Manx; 2 vols., Oxford, 1901.

ROSCHER: veja *Lexikon, Ausführliches*.

Russische Volksmärchen (MWL). Publicado por Löwis of Menar. Jena, 1914.

The Satapathabrâmana, segundo o texto da escola Mâdiayana. Trad. e org. por J. Eggeling. 5 vols. (in: *Sacred Books of the East*, XLIV). Oxford, 1882-1900.

SHARP, Elizabeth Amelia: *William Sharp* (Fiona Macleod). *A Memoir compiled by his wife*. Londres, 1910.

WALDE, Alois: *Lateinisches etymologisches Wörterbuch*. Heidelberg, 1910 (3ª Ed. revista); 3 vols. *Karl Winter's Universitätbuchhandlung*, 1938-1956.

Das obras de 1920 em diante também é mencionada a editora, sempre que possível.